MÉTODO DE ESPAÑOL PARA EXTRANJEROS

PRISMA

CONTINÚA

PRISMA DE EJERCICIOS

Evelyn Aixalà Pozas

Marisa Muñoz Caballero

Eva Muñoz Sarabia

Edi
numen

NIVEL A2

© Editorial Edinumen
© Eva Muñoz Sarabia, Marisa Muñoz Caballero y Evelyn Aixalà Pozas

ISBN: 978-84-95986-49-8
Depósito Legal: M-17765-2011
Impreso en España
Printed in Spain

Coordinación pedagógica:
 María José Gelabert

Coordinación editorial:
 Mar Menéndez

Ilustraciones:
 Miguel Alcón

Diseño de cubierta:
 Juan V. Camuñas y Juanjo López

Diseño y maquetación:
 Juanjo López

Impresión:
 Gráficas Glodami. Coslada (Madrid)

Editorial Edinumen
José Celestino Mutis, 4. 28028 - Madrid
Teléfono: 91 308 51 42
Fax: 91 319 93 09
e-mail: edinumen@edinumen.es
www.edinumen.es

ÍNDICE

Unidad 1

1.1. **Lee el siguiente texto sobre los hábitos de los jóvenes españoles y completa los huecos con la forma de presente de los verbos del cuadro:**

> **preferir (2)** • **mantenerse** • **levantarse (3)** • **gastar** • **haber**
> **decir** • **irse** • **mostrar** • **acostarse** • **seguir**

Según un estudio del Instituto de la Juventud (Injuve), realizado entre 1200 españoles de 14 a 24 años, la actividad preferida por los jóvenes españoles para su tiempo libre es practicar deportes. Además del deporte, las actividades que los chicos y chicas españolas **(1)** .... son: ver la televisión, tomar copas, charlar con amigos, pasear, estudiar o trabajar. Prácticamente la mitad de los entrevistados consume bebidas alcohólicas algún día de la semana. Según los autores del estudio **(2)** .... dos grupos: uno que bebe mucho y otro que bebe poco.

El 62% vive de los recursos económicos de otras personas y el 9,6% **(3)** .... principalmente con sus propios recursos económicos y alguna ayuda de los padres. Solo el 9,8% vive de sus propios recursos. Los jóvenes **(4)** .... su dinero en: ropa, salir con los amigos, comer fuera de casa y en automoción. El 12,3% de los jóvenes **(5)** .... a vivir con su pareja a una vivienda independiente a los 23 ó 24 años, un 4% comparte casa con amigos y un 78,5% **(6)** .... viviendo con su familia hasta pasados los treinta.

Los jóvenes **(7)** .... poco interés por situarse ideológicamente. En una escala del 1 al 7 (en el 1 se sitúa la ideología de izquierdas y en el 7, la de derechas), el 35% **(8)** .... que no se sitúa en ninguna parte y el 13,4% **(9)** .... no contestar. Entre los que sí lo hacen (el 51,5%), la gran mayoría (un 67%) se sitúa en el centro, un 23% dice que es de ideología de izquierdas y un 10% de derechas.

En cuanto a los hábitos de horarios, la hora media de levantarse los días laborables son las nueve de la mañana, aunque un 33% **(10)** .... antes de las ocho. Los sábados **(11)** .... una hora y media después que los días laborables. Los domingos **(12)** .... por término medio a las once de la mañana, aunque un 10,7% lo hace después de las dos de la tarde. La hora media a la que **(13)** .... no es muy tardía: a las doce de la noche los días laborables; a la 1, el sábado; y a las doce, el domingo.

1.2. **Escribe la forma correcta del presente de indicativo de los verbos entre paréntesis:**

1. Los días de diario nos *(acostar)* a las once.

....

2. Los locales de copas no *(cerrar)* hasta las tres.

....

3. Cuando bebo mucho, al día siguiente *(tener)* resaca.

....

4. En España, las madres *(proteger)* demasiado a sus hijos.

....

5. Yo (preferir) el cine a las discotecas.

....

6. Me (divertir) mucho los videojuegos.

....

7. Nosotros (pensar) que es importante tener una carrera universitaria.

....

8. Algunos jóvenes (oler) mal.

....

9. No (recordar) mi primer beso.

....

10. Pagar el alquiler de un piso en España (costar) muy caro.

....

1.3. **Relaciona, mediante una flecha, las palabras sinónimas de las dos columnas**

Según   •   • Aparte de
Además de   •   • Casa
Charlar   •   • Conversar mucho
Recursos   •   • De acuerdo con
Automoción   •   • Medios
Vivienda   •   • Elegir una posición
En cuanto a   •   • Referente a
Situarse   •   • Vehículo

1.4. **Completa:**

	Oler	Soler	Acostarse
Yo	....	....	....
Tú	....	....	....
Él/ella/usted	huele	....	....
Nosotros/as	....	solemos	....
Vosotros/as	....	....	....
Ellos/as/ustedes	....	....	se acuestan

	Vestirse	Seguir	Repetir
Yo	....	....	....
Tú	....	....	....
Él/ella/usted	se viste	....	....
Nosotros/as	....	seguimos	....
Vosotros/as	....	....	....
Ellos/as/ustedes	....	....	repiten

	Huir	Reconocer	Valer
Yo			valgo
Tú			
Él/ella/usted	huye		
Nosotros/as		reconocemos	
Vosotros/as			
Ellos/as/ustedes			

1.5. **Completa las siguientes oraciones eligiendo uno de los verbos del recuadro y conjugándolo en la forma del presente adecuada:**

> salir • coger • venir • querer • construir
> perder • servir • pedir • soler • oler • dormirse

1. Los niños .... castillos de arena en la playa.
2. ¿Me .... un poco más de pastel, mamá?
3. El mendigo .... dinero en la calle.
4. María .... ir al parque todos los días.
5. En esta habitación .... mal.
6. Yo .... el metro más que el autobús.
7. Juan, ¿..................... a la playa con nosotros?
8. Los lunes .... de trabajar muy tarde.
9. Ellos .... un aumento de sueldo.
10. Elena .... el tren muy a menudo porque ....

1.6. **Completa con la forma correcta del presente:**

1. Lola (despertarse) .... casi siempre a las siete.
2. Normalmente (yo, ducharse) .... pero los fines de semana (yo, bañarse) ....
3. Alejandro y Vanesa (salir) .... este domingo para Portugal.
4. Nunca (yo, ir) .... al teatro porque no (gustar) ....
5. Sara (tener) .... dos hermanos mayores.
6. El profesor siempre (corregir)..................... los ejercicios en la pizarra.
7. ¿Qué (tú, querer) .... de beber? Yo (preferir) .... una cerveza.
8. En vacaciones nunca (yo, acostarse) .... antes de las dos.
9. Luisa (trabajar) .... mucho y (dormir) .... poco, (yo, estar) .... preocupado por ella.
10. ¿Qué (vosotros, pedir) ....? Yo, unos canelones.
11. Cuando (yo, venir) .... a este restaurante (yo, pedir) .... tortilla porque (estar) .... muy buena.

12. Paco y Juan (jugar) .... al fútbol desde los diez años.

13. Hablas muy mal, yo no (decir) .... palabrotas: es vulgar.

14. ¿A qué hora (tú, empezar) .... a trabajar?

15. Carlos (sentirse) .... mal, (yo, creer) .... que (él, estar) .... enfermo.

16. ¿Por qué no (tú, sentarse) .... bien? Después (a ti, doler) .... la espalda.

17. No (yo, soler) .... tomar café después de cenar porque luego no (yo, poder) .... dormir.

18. ¿Qué día (tú, comenzar) .... la universidad?

19. ¿Cuánto (costar) .... los pantalones?

20. Las historias que (tú, contar) .... son divertidísimas.

21. No (yo, encontrar) .... mis gafas de sol, ¿(tú, saber) .... dónde (ellas, estar) ....?

22. (yo, conocer) .... a un chico que (él, saber) .... hablar suomi.

23. Para venir a la escuela (yo, coger) .... la línea dos y (yo, hacer) .... trasbordo en "Diego de León".

24. Casi todos los días (yo, poner) .... la radio un rato, (a mí, gustar) .... escuchar música.

25. Jaime (soñar) .... con tener una casa cerca del mar pero todavía no (él, tener) .... suficiente dinero para comprarla.

26. No (yo, saber) .... cantar pero Álvaro (cantar) .... fenomenal.

27. ¿(tú, poder) .... pasarme la sal? La paella (estar) .... sosa.

28. Mis compañeros de piso nunca (acordarse) .... de regar las plantas y todas (estar) .... secas.

29. (yo, recordar) .... muy bien el verano del 99 en Mallorca, sobre todo las puestas de sol, tan bonitas.

30. Gloria (competir) .... este fin de semana en Berlín por la medalla de oro en 400 metros.

1.7. **Completa con los relativos "que" o "donde". Después, adivina la palabra definida que se encuentra en el texto del ejercicio 1.1.:**

a. Actividad .... prefieren hacer los jóvenes en su tiempo libre. ➡ ☐☐☐☐☐☐

b. Lugar .... vivimos. ➡ ☐☐☐☐☐☐☐

c. Conjunto de ideas fundamentales .... caracteriza el pensamiento de una persona, colectividad o época, de un movimiento cultural, religioso o político. ➡ ☐☐☐☐☐☐☐☐☐☐☐

d. Actividad .... se hace con frecuencia. ➡ ☐☐☐☐☐☐☐

e. Día .... se trabaja. ➡ ☐☐☐☐☐☐☐☐☐

1.8. **Forma una oración uniendo las dos frases con un pronombre relativo (*que o donde*) y numera cada definición:**

12	a. Órgano, de titularidad pública o privada, ...que........ informa y entretiene a la audiencia.
1	b. Programa ....donde.... se emiten las últimas noticias.
	c. Persona .... ve la televisión.
	d. Conjunto de programas .... retransmiten por radio y televisión.
	e. Filmación .... podemos ver en el cine.
	f. Prueba .... varios candidatos compiten para conseguir un premio.
	g. Serie .... se emite por capítulos por televisión.
	h. Discusión .... se realiza acerca de un tema.
	i. Persona .... escucha la radio.
	j. Persona .... paga para ver un canal codificado.
	k. Conjunto de personas .... atiende un programa de radio o TV en un momento dado.
	l. Programa .... cuenta cómo viven los animales, cómo es una cultura determinada, etc.
	m. Banda de frecuencia .... emite una estación de televisión o radio.
	n. Espacio televisivo o radiofónico .... se publicitan productos que se quieren vender.

☑ 1. Informativo
☐ 2. Oyente
☐ 3. Documental
☐ 4. Película
☐ 5. Abonado

☐ 6. Concurso
☐ 7. Canal
☐ 8. Programación
☐ 9. Telespectador
☐ 10. Audiencia

☐ 11. Debate
☑ 12. Medio de comunicación
☐ 13. Anuncio de publicidad
☐ 14. Telenovela

1.9. **a. Completa el siguiente texto con los nexos convenientes:**

> **para empezar • asimismo • por otra (parte) • por tanto**
> **en resumen • por una parte • sin embargo**

Es curioso lo mucho que nos besamos en España. **(1)** ...., las mujeres siempre nos besamos, y entre hombres y mujeres casi siempre, con la única excepción de aquellas ocasiones demasiado formales. **(2)** ...., los hombres, si no son muy amigos o familia, solo se dan la mano o un abrazo.

(3) .... los españoles siempre hemos sido muy tocones, para bien y para mal. Me refiero a que, **(4)** ...., nuestro contacto físico puede resultar cariñoso y simpático, pero, **(5)** ...., puede parecer invasor, sobre todo cuando te empujan por la calle y ni siquiera te piden disculpas.

Nuestros vecinos franceses también se besan al despedirse o encontrarse, pero parece que solo lo hacen si son muy amigos. Los anglosajones, alemanes o nórdicos se limitan a darse la mano y, **(6)** ...., si te lanzas al cuello de un hombre de una de estas nacionalidades, se queda muy sorprendido. **(7)** ...., los roces y el besuqueo son habituales en nuestra cultura, mucho más que en casi todos los pueblos que conozco.

Rosa Montero, *Besos y otras cosas* (adaptado)

b. Lee de nuevo el texto y contesta a las siguientes preguntas con verdadero o falso:

1. Para saludarse, los hombres suelen darse la mano, excepto cuando son muy amigos. .... ☐ .... ☐

2. Los españoles casi nunca se tocan. .... ☐ .... ☐

3. A veces los españoles empujan cuando van por la calle y no piden perdón. .... ☐ .... ☐

4. Los españoles no son tan fríos como otros europeos. .... ☐ .... ☐

c. Reescribe las frases siguientes usando uno de los sinónimos del recuadro para sustituir las palabras en negrita:

> tirarse • no • solo • querer decir • poder parecer

1. Los europeos del norte **se limitan** a darse la mano.

   ....

2. Si **te lanzas** al cuello de un hombre, se sorprende mucho.

   ....

3. Nuestro contacto físico **puede resultar** cariñoso y simpático.

   ....

4. Los españoles te empujan y **ni siquiera** te piden disculpas.

   ....

5. **Me refiero** a que nuestro contacto puede parecer invasor.

   ....

d. Relaciona cada palabra con su definición:

> tocón • invasor • roce • besuqueo

1. Beso repetido: ....

2. Persona que entra por la fuerza en un lugar: ....

3. Acto de pasar una cosa o persona tocando ligeramente a otra: ....

4. Persona que toca constantemente a las otras: ....

e. ¿Conoces el verbo de los anteriores nombres y adjetivos?

1. Tocón: ....

2. Invasor: ....

3. Roce: ....

4. Besuqueo: ....

Unidad 2

2.1. **Elige la opción correcta:**

1. Este **es/ está** Luis, **es/ está** el hermano de Alberto.
2. ¿Dónde **son/ están** mis gafas? No las encuentro.
3. Juan **es/ está** muy alegre pero últimamente **es/ está** triste. ¿Tiene algún problema?
4. En invierno a las seis de la tarde ya **es/ está** de noche.
5. **Es/ Está** muy agradable tomar un café después de trabajar.
6. ¿Conoces a Inma? **Es/ Está** una chica rubia y delgada que vive en el tercero.
7. ▷ ¿Y el niño?
   ▶ **Es/ Está** dormido desde hace una hora.
8. Jaime **es/ está** viendo la televisión en el salón.
9. Este arroz **es/ está** muy bien hecho.
10. Laura no encuentra el trabajo que quiere y **es/ está** de teleoperadora.
11. ▷ ¿A qué día **somos/ estamos**?
    ▶ A diecisiete, mañana **es/ está** dieciocho.
12. Carlos **es/ está** uruguayo pero ha pedido la nacionalidad española.
13. El concierto **es/ está** mañana a las ocho en el Estadio Olímpico.
14. La cocina del piso de María **es/ está** azul y **es/ está** muy bonita.
15. Yo **soy/ estoy** abogado pero trabajo en una oficina de turismo.
16. La calle Lorca **es/ está** cerca del metro Tetuán.
17. ¡Qué triste! Ya **somos/ estamos** en invierno.
18. ▷ ¿Qué hora **es/ está**?
    ▶ **Son/ Están** las cuatro.
19. Alba **es/ está** muy simpática pero no **es/ está** así normalmente. ¡Qué extraño!
20. El programa **es/ está** en la primera cadena.
21. La maleta no **es/ está** bastante grande.

2.2. **Completa las siguientes oraciones con el verbo *ser* o *estar*:**

1. La última novela de Márquez .... mala, no .... interesante.
2. ▷ ¡Rápido, que vamos a llegar tarde!
   ▶ Tranquilo, ya .... listo, nos podemos ir.
3. ¿................. verdes esos plátanos? Porque los quiero maduros.
4. Juan .... muy listo, no estudia nunca y saca buenas notas.
5. Me gusta el norte de España porque .... muy verde.
6. Sonia .... muy cerrada, nunca habla con casi nadie.
7. No puedo abrir el cajón, ... cerrado y no tengo la llave.

8. Los ojos de Sofía .... negros, muy bonitos.

9. ¡Qué envidia! Susana .... negra, porque .... todos los días en la playa.

10. Hoy Javier no sale con nosotros porque .... malo, tiene fiebre.

11. Este chocolate .... muy rico, se nota que es belga.

12. No me gusta ese grupo de rock, ... malísimo; no sé por qué tiene tanto éxito.

13. Dicen que los españoles .... muy abiertos pero creo que depende más del carácter de las personas.

14. ¿Puedes cerrar la ventana del salón? .... abierta y tengo frío.

15. ¡No te comas esas fresas! .... malas.

16. Quique .... negro de trabajar tanto, necesita unas vacaciones.

17. Paula .... muy rica, su padre es un gran empresario.

18. ¡Qué rico .... este café! ¿Dónde lo compras?

19. Voy a suspender el examen, ... muy verde porque no he estudiado casi nada.

20. El vino francés .... muy bueno, pero el español también y no .... tan conocido.

21. La cocina .... negra, ¡nadie limpia nunca en esta casa! .... negra, no pienso hacerlo todo yo.

22. Este queso no .... malo pero .... malo.

23. Esa camiseta .... verde claro y, por eso, no me la pongo nunca.

24. ¿.................. cerrado el cibercafé? Porque quiero meterme en Internet.

25. Antonio Banderas debe de .... muy rico: trabaja en Hollywood.

26. Ese jamón debe de .... muy rico: es de Jabugo.

27. Ese niño .... muy malo. Siempre está pegando a su hermano.

28. .... malo. Me duele mucho el estómago.

29. Llevo dos horas esperando a Juan. .... negra.

30. Esta paella .... muy buena, este arroz .... mejor que el que compras tú.

2.3. **Completa las oraciones con uno de los siguientes adjetivos en el género y número adecuado:**

rico • cerrado • negro • bueno • abierto

1. Bill Gates es ....

2. Denzel Washington es ....

3. El bar está .... Abre a las diez.

4. Ella es muy .... Habla con todo el mundo.

5. La biblioteca está ....; puedes entrar.

6. Los caracoles están muy ....

7. Mi padre es ....; siempre ayuda a los demás.

8. Tu comida está ....

9. Tu novio es .... Nunca habla con nadie.

2.4. **Completa con los verbos *ser* y *estar*, según convenga:**

Querido Enrique:

No voy a poder ir a Málaga porque **(1)** .... mala. Tengo un resfriado de película. Si **(2)** .... mejor el próximo fin de semana, prometo ir a visitarte. Mientras tanto, me paso el día en la cama viendo DVDs y bebiendo leche con miel. **(3)** .... negra de tanto reposo. Esta tarde he visto una película titulada *Irreversible*. No te la recomiendo; **(4)** .... muy mala. Sin embargo, esta semana también he visto *Moulin Rouge* y **(5)** .... muy bien, me he divertido mucho viéndola. Una cosa más. Hoy he hablado con Carlos, que ahora **(6)** .... en Londres estudiando inglés. Dice que la escuela **(7)** .... muy buena y que la ciudad le gusta pero que, sin embargo, él **(8)** .... muy mal porque nos echa mucho de menos. Y que además **(9)** .... muy verde con el idioma porque los ingleses hablan demasiado rápido y él no entiende nada. Ya sabes que además Carlos **(10)** .... un poco cerrado.

Bueno, espero poder visitarte pronto.

Un beso muy grande, Lucía.

2.5. **Completa las oraciones con la preposición adecuada a cada verbo de movimiento (a/de/en):**

≠ 1. Yo voy ......*a*...... la escuela ......*a*...... pie.

2. Me voy .... Barcelona la próxima semana, para ir .... París, a un gran congreso.

3. Salgo el viernes .... Barcelona y llego .... Montevideo el sábado por la mañana.

4. Mi hermano viene .... Girona el miércoles. Está viviendo allí desde hace dos años y está deseando conocer Madrid.

5. El avión que ha aterrizado llega .... Londres.

6. (Por teléfono) ¿Vienes .... mi fiesta de cumpleaños?

7. Normalmente voy .... el trabajo .... coche.

¿Origen o destino?

1. Voy ⬚*a* Murcia desde Madrid: expresa ....*destino*....................................

2. ¡Me voy ⬚*de* aquí! ¡No aguanto más!: expresa ....

3. ▷ ¿A qué hora te vas?
   ▶ Salgo ⬚*del* aeropuerto a las 21 h.: expresa ....

4. ¿ ⬚*De* dónde vienes?: expresa ....

5. Ya he llegado ⬚*a* casa. ¡Qué bien!: expresa ....

2.6. **Lee el siguiente poema infantil de Gloria Fuertes y elije las preposiciones adecuadas:**

– ¿Dónde vas carpintero
  con la nevada?
– Voy **(1) en el/ al** monte a por leña
  para dos tablas.
– ¿Dónde vas carpintero
  con esta helada?
– Voy **(2) en el/ al** monte por leña,
  mi Padre aguarda.

– ¿Dónde vas con tu amor
  Niño del Alba?
– Voy **(3) a/ en** salvar **(4) en/ a** todos
  los que no me aman.
– ¿Dónde vas carpintero
  tan de mañana?
– Yo me marcho **(5) a/ en** la guerra
  (6) para/ por pararla.

2.7. **Corrige, o suprime, si es necesario, las preposiciones incorrectas:**

1. Esta mañana he ido en casa de Juan y no lo he encontrado.
   ....

2. El avión que acaba de despegar llega a Madrid a las tres.
   ....

3. El avión que está aterrizando llega a Moscú.
   ....

4. Me gusta ir en pie a la escuela.
   ....

5. Estoy enamorado con Luisa.
   ....

6. Este regalo es para ti.
   ....

7. Normalmente sueño en árboles y jirafas.
   ....

8. Necesito de ir al baño.
   ....

9. ▷ ¿De dónde vienes?
   ▶ Vengo a la playa.
   ....

10. Nunca he estado a Cuba.
    ....

11. Después de 4 meses vuelvo en Holanda.
    ....

12. Los ejercicios son por mañana.
    ....

13. Voy a pasar en Barcelona por unos días.
    ....

14. Susana va con metro todos los días.
    ....

15. No estoy con acuerdo con Luis.
    ....

2.8. **En las siguientes conversaciones, escoge el verbo que debes usar en cada situación y conjúgalo en presente:**

> **quedar** • **poner** • **vestirse** • **ponerse**

1. ▷ No sé qué .... para la fiesta de mañana.
   ▶ ¿Por qué no .... el vestido azul?
   ▷ Es que no .... bien.

quedar • quedarse

2. ▷ ¿Qué haces esta noche?

   ▶ Pues nada, no tengo planes.

   ▷ ¿.................... para tomar algo?

   ▶ Vale, ¿dónde ....?

   ▷ Pues... en la puerta de tu casa.

   ▶ ¿Y por qué no .... allí toda la noche y vemos una peli?

vestirse • ponerse

3. ▷ ¡María! ¡Son las ocho y media! ¿Es que hoy no piensas ....? ¡Vas a llegar tarde al colegio!

   ▶ Ya voy, ya voy...

quedar • quedarse

4. ▷ ¿Cuándo coges las vacaciones?

   ▶ La semana que viene.

   ▷ ¡Qué bien! ¿Y qué vas a hacer?

   ▶ Pues nada especial. Voy a .... en casa porque no tengo pelas.

   ▷ ¡Vaya!

cambiarse • mudarse • trasladarse

5. ▷ ¿Sabes algo de Ana?

   ▶ Pues sí, el próximo fin de semana .... de piso.

   ▷ ¿Sí? Pues no entiendo por qué .... Su piso es muy grande, tiene mucha luz y está muy bien comunicado.

   ▶ Es que su empresa .... a las afueras de la ciudad. Además, ya sabes que a ella no le gusta vivir en el centro.

poner • colocar

6. ▷ ¿Por qué nunca .... las cosas en su sitio?

   ▶ Porque no tengo tiempo.

   ▷ Pues no es necesario mucho tiempo para .... los libros en la estantería.

   ▶ Vale, vale...

   ▷ Bueno, no vamos a discutir otra vez. Voy a .... la mesa. Vamos a cenar.

introducir • meter

7. ▷ No entiendo cómo funciona esta máquina. ¡Qué complicada es!

   ▶ A ver... Aquí dice: "................... la tarjeta...".

   ▷ Pero... es lo que estoy haciendo, ¿no?

   ▶ Pues sí. Yo creo que no funciona bien. ¿Por qué no la .... por el otro lado?

   ▷ Sí, voy a intentarlo...

hacer regalos • regalar

8. ▷ ¿Qué les vas a .... a tus padres estas Navidades?

    ▶ Yo nunca .... No tengo pelas.

2.9. **Completa la siguiente conversación telefónica usando las formas del presente de los verbos que están entre paréntesis:**

▷ ¿Sí?

▶ ¿**(1)** *(Estar)* .... María?

▷ Sí, **(2)** *(ser)* .... yo. ¿Quién **(3)** *(ser)* ....?

▶ i**(4)** *(Ser)* .... Ana! ¿No me **(5)** *(reconocer)* .... ¿Cómo **(7)** *(estar)* .... ?

▷ ¿Ana?... ¡Ana! Claro que te **(6)** *(reconocer)* .... ¿Cómo **(7)** *(estar)* ....?

▶ Pues, **(8)** *(estar)* .... muy bien. Y **(9)** *(parecer)* .... que tú también. Te **(10)** *(oír)* .... muy bien, muy animada.

▷ Pues sí. La verdad **(11)** *(ser)* .... que **(12)** *(estar)* .... contentísima porque **(13)** *(acabar)* .... de encontrar un trabajo justamente hoy.

▶ ¡Vaya! i**(14)** *(alegrarse)* .... muchísimo! ¿Y cuándo **(15)** *(empezar)* ....?

▷ Pues todavía no lo **(16)** *(saber)* .... **(17)** *(Tener)* .... que llamar maña-na. **(18)** *(Suponer)* .... que **(19)** *(empezar)* .... la semana que viene. ¿Y a ti? ¿Cómo te **(20)** *(ir)* ....?

▶ Pues bien. **(21)** *(Seguir)* .... trabajando en la misma empresa. ¿**(22)** *(Acordarse)* ....?

▷ Claro. ¿Y **(23)** *(tener)* .... tanto trabajo como antes?

▶ ¡Uf! Mucho más, no **(24)** *(poder, tú)* .... ni imaginarlo. **(25)** *(Ser)* .... que ahora también **(26)** *(atender)* .... el teléfono, **(27)** *(hacer)* .... facturas, **(28)** *(pedir)* .... presupuestos... Pero bueno, no **(29)** *(quejarse)* .... , **(30)** *(estar, yo)* .... mucho más distraída y, por lo menos, **(31)** *(entretenerse)* .... más que antes.

▷ iPues **(32)** *(alegrarse)* .... por ti!

▶ Gracias. ¡Oye! ¿Por qué no **(33)** *(quedar)* .... un día de estos? **(34)** *(Hacer)* .... mucho tiempo que no **(35)** *(verse, nosotros)* ....

▷ Vale. ¿**(36)** *(Parecer)* .... bien el martes a las seis en el Zurich?

▶ ¡Perfecto! Pues... **(37)** *(Verse)* .... el martes. Un beso.

▷ Un beso.

16 ■ [dieciséis]   PRISMA DE EJERCICIOS. UNIDAD 2

Unidad 3

3.1. **Completa con la forma correcta del pretérito indefinido:**

Ejemplo: *Ayer* **comí** *paella y hoy no me apetece comer arroz.*

1. El año pasado *(viajar, yo)* .... dos veces a Portugal. Es que me gusta mucho ese país.

2. Hace tres meses *(conocer, nosotros)* .... a la novia de Andrés. Es muy maja.

3. La semana pasada Alberto *(hablar)* .... con Jaime sobre el problema.

4. Paula *(estudiar)* .... en París cinco años, habla perfectamente el francés.

5. Juan y Alejandro *(salir)* .... para México hace una semana.

6. El fin de semana pasado *(beber, yo)* .... demasiado y todavía me duele el estómago.

7. Carla y yo *(entrar)* .... en la Universidad en 1999, *(conocerse, nosotras)* .... allí y todavía somos buenas amigas.

8. Pablo Picasso *(nacer)* .... en Málaga.

9. María José *(vivir)* .... hace tres años en Grecia.

10. Ellos *(comprar)* .... el billete el mes pasado, por eso *(pagar)* .... menos.

11. Paco *(vender)* .... su barco hace una semana. Ahora quiere comprarse una casa.

12. Anoche *(esperar, nosotros)* .... a Lucas dos horas y no *(aparecer, él)* ....

13. ¿Cuándo *(hablar, vosotros)* .... con Pedro, ayer o anteayer?

14. El otro día, en la discoteca *(bailar, yo)* .... toda la noche; mis amigos, en cambio, *(sentarse)* .... y no *(levantarse)* .... hasta que *(salir, nosotros)* ....

15. El año pasado en Sevilla *(pasear, nosotros)* .... mucho, es una ciudad pequeña y puedes ir andando a todas partes.

16. ¿*(Acompañar, tú)* .... el otro día a Sonia al médico?

17. Begoña *(mudarse)* .... en otoño pero todavía no tiene teléfono en el piso nuevo.

18. En 2000 *(cambiar, yo)* .... de trabajo y, ahora, estoy mucho más contenta.

19. Laura y Pedro *(volver, ellos)* .... a Madrid el año pasado pero quieren cambiar de ciudad otra vez.

20. ¿Cómo *(dormirse, tú)* .... ayer con tanto ruido?

21. En 1998 Miguel *(regresar)* .... a España después de 7 años en Argentina.

22. ¿Dónde *(comprar, tú)* .... el vestido?

23. Mis amigas le *(contar)* .... todo a Blas y ahora está enfadado conmigo.

24. Hace un rato *(llamar, yo)* .... a tu casa y no estabas.

25. ¿*(Gastar, usted)* .... mucho dinero el mes pasado?

3.2. Completa con la 1.ª o la 3.ª persona del pretérito indefinido:

Ejemplo: *Mi hermana **estudió** en la facultad de Veterinaria.*

1. Ricardo *(vivir)* .... en Madeira hasta 1996.
2. *(Nacer)* .... en Madrid pero a los 3 años me trasladé a Huelva.
3. Eva *(trabajar)* .... en París 2 años.
4. Carmen *(terminar)* .... sus estudios en 1997.
5. En verano *(visitar)* .... a mi madre y lo pasamos muy bien juntas.
6. Dolores *(hablar)* .... con Felipe para organizar la fiesta.
7. No *(salir)* .... al extranjero hasta los 17 años pero ahora viajo mucho.
8. *(Preparar)* .... unos regalos para Lola y Pilar, se los voy a dar mañana.
9. Mi padre *(comenzar)* .... a trabajar a los 19 años.
10. El año pasado *(cambiarse)* .... de piso, ahora vivo en uno más grande.
11. El otro día volví andando a casa porque no *(encontrar)* .... un taxi.
12. *(Entrar)* .... en la academia hace 2 meses y *(volver)* .... a su país hace una semana.
13. Quique *(gastarse)* .... todo su dinero en un viaje.
14. *(Sufrir)* .... un accidente hace seis meses y, ahora, no puedo andar bien.
15. El año pasado *(comprar)* .... una casa en el centro donde vivo con mi novio.

3.3. Identifica si el verbo dado corresponde a la primera o la tercera persona y si se encuentra en presente o en pretérito indefinido. Después construye una frase con cada uno de los verbos.

Ejemplo: **Hablo:** *Primera prersona del presente de indicativo.* ➜ *Mi madre dice que yo hablo mucho.*

1. Compró: ....
2. Salí: ....
3. Cené: ....
4. Pone: ....
5. Canté: ....
6. Trabajó: ....
7. Ando: ....
8. Sale: ....
9. Viajé: ....
10. Dejó: ....

3.4. Completa con la forma correcta del pretérito indefinido:

Ejemplo: *Ayer **hice** paella y hoy no me apetece comer arroz.*

1. Anoche mis padres *(ir)* .... a la ópera.
2. ¿Dónde *(poner, tú)* .... ayer el diccionario? No lo encuentro.

3. El año pasado nosotros no *(poder)* .... ir de vacaciones.

4. En 1998, Ana *(tener)* .... su primer hijo.

5. El sábado pasado *(haber)* .... una fiesta en casa de Alicia.

6. ¿Cómo *(caber, vosotros)* .... todos en el coche?

7. El domingo *(andar, yo)* .... diez horas.

8. Ayer la profesora *(poner, a nosotros)* .... muchos deberes.

9. Mi boda *(ser)* .... hace tres años y él no *(venir)* ....

10. Es mentira. Julián no *(decir)* .... eso.

11. Mis abuelos *(llegar)* .... ayer de vacaciones y *(traer, a mí)* .... muchos regalos.

12. *(Ir, nosotros)* .... a León en coche y *(conducir, yo)* .... todo el día.

13. Pablo *(dar, a mí)* .... un beso y *(irse, él)* .... corriendo.

14. Lo siento pero ayer no *(poder)* .... llamarte.

15. Los peregrinos del camino de Santiago *(andar)* .... todo el día hasta el anochecer.

16. Ayer por la tarde *(deshacer, yo)* .... la maleta.

17. La policía *(detener)* .... al ladrón.

18. ¿Por qué no *(traer, tú)* .... ayer la ropa sucia y *(poner)* .... una lavadora?

19. Tu comentario de la semana pasada *(ser)* .... muy cruel.

20. El jueves pasado nosotros *(estar)* .... en la oficina.

3.5. **Completa con la 1.ª o la 3.ª persona del pretérito indefinido:**

Ejemplo: *Mi hermana **hizo** la carrera de Filología.*

1. La policía *(venir)* .... a mi casa a hacerme preguntas sobre el robo.

2. Yo *(estar)* .... dos años en Suecia, en cambio él *(estar)* .... solo dos meses.

3. El atleta no *(poder)* .... llegar a la meta.

4. Lo siento, no *(tener)* .... tiempo y por eso no *(hacer)* .... el informe.

5. Mi novio *(decir)* .... que sí y yo *(decir)* .... que no. Y ahora estamos peleados.

6. Ayer Iván *(traer)* .... estas flores y no las *(poner, yo)* .... en agua.

7. ¿Cómo *(saber)* .... Lidia la verdad?

8. El otro día mi madre *(ponerse)* .... el vestido azul.

9. *(Yo, dar a él)* .... cuatro libros y ella ni siquiera *(dar, a mí)* .... las gracias.

10. El año pasado *(tener, yo)* .... muy mala suerte.

3.6. Conjuga el verbo en presente de indicativo o pretérito indefinido. Presta especial atención a los marcadores:

1. Anoche (*acostarse, yo*) .... a las cinco de la mañana.

2. El programa de TVE (*empezar*) .... a las diez todos los días.

3. ¿Por qué Julián (*engañar*) .... a sus padres el otro día?

4. ¿Quién (*llamar*) .... ayer por teléfono?

5. El año pasado Andrés (*tener*) .... un grave accidente con la moto.

6. El miércoles (*enfadarse, yo*) .... con Ana porque no (*traer, a mí*) .... los discos.

7. El miércoles próximo (*actuar, yo*) .... en una pequeña sala de teatro.

8. La semana pasada mi padre (*prestar, a mí*) .... quinientos euros para pagar una deuda.

9. Normalmente nosotros (*reunirse*) .... en el bar que (*haber*) .... debajo de mi casa.

10. Los miércoles mi hermano (*tener*) .... visita con el dentista.

3.7. Coloca los marcadores en la tabla según sean de presente o pasado (pretérito perfecto o pretérito indefinido). Algunos pueden aparecer en las dos columnas:

> **normalmente • siempre • ayer • todos los días • anoche • los lunes • habitualmente • el lunes pasado • anteayer • el otro día • en 1980 • cada día • anteanoche • hoy • hace un año • el verano anterior**

Marcadores de presente		Marcadores de pasado	
normalmente		ayer	

3.8. Pon los infinitivos en la forma correcta del pretérito indefinido:

1. Ayer (*andar, yo*) por el Barrio Gótico durante dos horas.

   ....

2. ¿Qué te (*decir*) Carmen?

   ....

3. Nunca (*querer, ellos*) vivir en esa casa.

   ....

4. Mi madre (*hacer*) un pastel buenísimo para mi fiesta de cumpleaños.

   ....

5. ¿Sabes quién (*componer*) la Novena Sinfonía?

   ....

6. Este cuadro me lo *(traer)* mis padres de Portugal hace dos veranos.

....

7. Yo *(viajar)* a Chile hace diez años.

....

8. El mes pasado *(ir, nosotros)* a Cadaqués.

....

9. ¿Cuándo *(saber, vosotros)* que Juanma se va a casar?

....

10. No *(poder, nosotros)* comprar el helado.

....

11. Ayer *(rehacer, yo)* los ejercicios que me *(decir, tú)*.

....

12. Anoche yo te *(traer)* los libros pero no te *(encontrar)*.

....

13. Las vacaciones pasadas Ana *(tener)* un accidente muy grave.

....

14. El miércoles Juan no *(venir)*.

....

15. Mozart *(nacer)* en Salzburgo y *(morir)* en Viena.

....

3.9. **a. Lee el siguiente texto y completa con el verbo conjugado en pretérito indefinido:**

Las pasadas vacaciones de primavera **(1)** *(ir, yo)* .... a un lugar que jamás voy a olvidar, a Varadero, una de las playas más famosas y lindas de la Isla de Cuba. **(2)** *(Hospedarse)* .... en el hotel Varadero Internacional. La gente que **(3)** *(conocer)* ...., no solamente en el hotel, sino en la Isla entera, **(4)** *(parecerme)* .... simpatiquísima. Durante la estancia en Varadero **(5)** *(nadar)* .... con delfines, **(6)** *(hacer)* .... buceo, **(7)** *(asistir)* .... a clases de salsa, **(8)** *(ir)* .... a discotecas, y también **(9)** *(ir)* .... en barco hasta una pequeña isla y por supuesto, **(10)** *(disfrutar)* .... del mar y de la playa. ¡Me **(11)** *(poner)* .... tan morena!

Nadar con los delfines **(12)** *(ser)* .... una experiencia inolvidable. Son amables y cariñosos. Nadé en sus espaldas y me **(13)** *(besar)* .... en la cara. Hasta un pelícano **(14)** *(morder, a mí)* .... en el hombro. ¡Qué risa!

También **(15)** *(ir)* .... a la ciudad de Camagüey, donde **(16)** *(nacer)* .... mis padres. **(17)** *(estar)* .... allí dos días. Es un pueblo donde hay mucha gente. Las muchachitas pueden caminar solas por la noche sin problemas y los niños también van a la escuela solos. Casi todo el mundo va en bicicleta.

Espero volver muy pronto. Todo **(18)** *(encantar)* .... Para llegar a Cuba, **(19)** *(tener)* .... que viajar primero a Canadá a causa del embargo. Espero que lo quiten pronto. Si tienes la oportunidad de ir a Cuba... ¡Vale la pena!

Sara

(Texto adaptado de la web de Alianza Cubano Americana)

b. **Contesta si las siguientes afirmaciones son verdaderas o falsas:**

	Verdadero	Falso
1. A Sara no le gustó la gente de Cuba	☐	☐
2. Sara tomó mucho el sol	☐	☐
3. Los padres de Sara son cubanos	☐	☐
4. Camagüey no es un pueblo muy seguro	☐	☐

c. **Busca en el texto un sinónimo de:**

1. Alojarse ....

2. Nunca ....

3. Mujeres jóvenes ....

4. Bonitas ....

d. **Nombra las partes del cuerpo que aparecen en el texto:**

_____

_____

_____

_____

_____

Señala con una cruz (X) cuáles son partes del cuerpo y cuáles no:

☐ Rodilla	☐ Cintura	☐ Codo	☐ Cuello	☐ Cromo
☐ Tobillo	☐ Botijo	☐ Lodo	☐ Ceja	☐ Frente

e. **Nombra los animales que aparecen en el texto:**

_____

_____

_____

_____

Señala de la siguiente lista cuáles son animales y cuáles no:

☐ Foca	☐ Rama	☐ Antena	☐ Olla	☐ Abeto
☐ Pato	☐ Rana	☐ Yegua	☐ Camello	☐ Mariposa

Unidad 4

4.1. **Coloca el participio que falta en cada oración:**

> descubrir • poner • decir • morir • romper
> hacer • describir • volver • abrir • ver

1. ¿Por qué **has** .....abierto....... la puerta? Hace frío.
2. ¿Quién **ha** .... los libros sobre la cama?
3. ¿Quién te **ha** .... eso? Es mentira.
4. El niño **ha** .... el juguete.
5. El testigo **ha** .... al ladrón.
6. Este pastel lo **ha** .... mi madre. Cocina muy bien.
7. **Han** .... una nueva vacuna.
8. Jamás **han** ....el mar.
9. La abuela de Juan se **ha** ....
10. Rosa **ha** .... de Chile.

4.2. **a. Coloca los siguientes verbos en el lugar correspondiente:**

> beber • explicar • tener • decir • sonreír • invitar • prestar
> encender • robar • pensar • saludar • pedir • saber • hacer • matar

Verbo + algo	Verbo + a alguien	Verbo + algo + a alguien
querer	llamar	enviar

b. Relaciona cada pronombre con su objeto:

1. **La** he llamado esta tarde.   → a. A Inés.
2. **Los** he puesto a lavar.   • b. El bolso, a nosotros.
3. **Te la** he planchado ya.   • c. El bolígrafo, a ti.
4. **Lo** he invitado a tomar un café.   • d. La camisa, a ti.
5. ¿Para qué **las** quieres?   • e. La carta, a Tomás.
6. Tienes que enviár**sela**.   • f. La televisión.
7. ¿Quién **te lo** ha prestado?   • g. Las fotos.
8. **Las** he cocinado yo.   • h. A Pedro.
9. ¿Puedes encender**la**?   • i. Las ostras.
10. **Nos lo** han robado.   • j. Los pantalones.

4.3. Responde a las siguientes preguntas con *ya* o *todavía no*. Sustituye el objeto por el pronombre cuando sea necesario:

Ejemplo: ¿Has visitado ya el Palacio de la Música?

No, todavía no lo he visitado. / **No, no lo** he visitado **todavía**.

Sí, ya lo he visitado.

1. ¿Has probado las ostras que ha traído María?

   No, ...

2. ¿Has regado las plantas?

   Sí, ...

3. ¿Has llamado a tu madre?

   Sí, ...

4. ¿Habéis escrito el informe?

   No, ...

5. ¿Ha hecho Pedro los deberes?

   Sí, ...

6. ¿Has limpiado el jardín?

   No, ...

7. ¿Habéis comprado el pan?

   No, ...

8. ¿Han venido los pintores?

   Sí, ...

9. ¿Has sacado la basura?

   Sí, ...

10. ¿Has estado en Rumanía?

    Sí, ...

4.4. Completa con los pronombres de OD y OI adecuados:

1. ¿Le has devuelto las llaves a Ana?

   No, todavía no .... he devuelto.

2. ¿Me has comprado lo que te he pedido?

   Sí, ya .... he comprado.

3. ¿Has encontrado el libro de Juan?

   No, no he podido encontrar ....

4. ¿Nos han traído el informe?

   Sí, ... han traído

5. ¿Nos habéis conseguido entradas?

   Claro que .... hemos conseguido.

6. ¿Os ha aprobado la profesora el examen?

   Sí, ... ha aprobado.

7. ¿Le has pedido a Pablo su ordenador?

   Finalmente no .... he pedido.

8. ¿Qué le has comprado a tu madre?

.... he comprado un perfume.

9. ¿Has visto la película?

Todavía no .... he visto.

10. Me has roto mi camisa.

No, yo no .... he roto.

4.5. **Redacta las frases transformando los complementos en pronombres:**

Ejemplo: *Le he comprado* **un pantalón** **a mi marido**.

........**Se** **lo** he comprado...

1. Les he prometido **hacerlo a mis padres.**

....

2. ¿Puedes ayudar **a mi hermana?**

....

3. Nos hemos comprado **un piso nuevo**.

....

4. Juan ha llamado **a Jesús** y le ha pedido **dinero**.

....

5. Necesito tomar **la pastilla** antes de ir a dormir.

....

6. Mis amigos me han organizado **una fiesta**.

....

7. Tengo que fotocopiar **estos apuntes**.

....

8. Le he dicho **que no puedo ir** y se ha enfadado.

....

9. ¿Os ha traído **el pan** el camarero?

....

10. ¿Nos ha devuelto **la revista** María?

....

4.6. **Corrige las frases si es necesario:**

Ejemplo: *El vestido **la** he comprado en Milán.*

........El vestido **lo** he comprado en Milán.......................

1. Juan ya lo ha devuelto el libro a Pablo.

....

2. ¿Todavía no se lo habéis dicho?

....

3. El bolso le he comprado en París.

....

4. Lo he dicho a Juan que puede venir a mi fiesta.

....

5. Ángel le lo ha contado a Sara.

....

6. La película lo he visto esta semana, es muy buena.

....

7. Maite le ha comprado un libro de aventuras a Pablo.

....

8. Las naranjas están muy buenas, ¿dónde los has comprado?

....

9. El perro de Sofía es muy pequeño, se la encontró en la calle.

....

10. Los amigos de Luis son geniales, los conoció en Roma.

....

11. Paca está fenomenal, he la visto hace poco.

....

12. Este cuadro es precioso, ¿lo has hecho tú?

....

13. Las novelas de Llosa son estupendas, las he leído todas.

....

14. Se lo he dicho que no puede volver a faltar a clase.

....

15. Le he contado a Luis que Pedro no quiere ir al viaje.

....

16. La chaqueta es de segunda mano, se la he comprado a Ana.

....

17. Lo he comentado a Luisa que Carlos no va a poder ayudarla.

....

18. No pienso lo hacer. Este ejercicio es muy difícil.

....

19. ¿Has lo visto a Juan recientemente? Está mal, llámalo.

....

20. Te lo he pedido a Silvia porque María no tiene ordenador.

....

4.7. **Tacha los pronombres que no son necesarios y añade los que faltan:**

Ejemplo: ~~Lo~~ he visto a Juan esta mañana en el instituto.
Hoy he regalado un juguete a mi hijo: *Hoy le he regalado un juguete a mi hijo.*

1. Esta mañana me he encontrado con Sonia. Le he contado mi problema a Sonia y me ha dicho que me va a ayudar a mí.

2. El pastel lo ha hecho mi madre. Yo he ayudado.

3. Me he comprado un vestido azul. Me queda grande así que voy a llevar a la modista.

4. Andrés está enfermo. Ayer llamé y dijo que no va a venir a trabajar.

5. Esta semana he invitado a comer a Juan tres veces porque no tiene dinero. Ha pedido un préstamo a su padre pero no puede darle hasta la semana que viene.

4.8. **a.** Coloca las expresiones de valoración en la casilla correspondiente:

¿Qué te ha parecido la nueva película de Julio Medem?

normal • estupenda • ni fu ni fa • fantástica • un bodrio • así así •
aburridísima • horrible • increíble • muy mala • genial

☺	☐	☹

¿Cómo te lo has pasado en la fiesta?

de fábula • regular • de pena • ni fu ni fa • horrible • de muerte •
bomba • fatal • de vicio • muy bien • más o menos • de miedo

☺	☐	☹

b. Coloca cada expresión de valoración en la oración correspondiente:

ni fu ni fa • fantástico • un bodrio • aburridísima • de muerte

1. He ido a ver una película y no me ha gustado nada. Me ha parecido ....

2. Voy al gimnasio todos los días. Tengo muchos amigos y me lo paso ....

3. Jorge me ha enseñado hoy su coche nuevo. Bueno, nada muy especial, ...

4. Ayer tuvimos una reunión de empresa que duró cuatro horas. Casi me duermo. Fue ....

5. Me he comprado un ordenador. Estoy tan contenta. Tiene mucha memoria. ¡Es............................!

4.9. **a.** Completa el siguiente texto con las formas correctas del pretérito perfecto:

Querido Mario:

¿Cómo estás? Ya sabes que estoy haciendo un viaje por Andalucía con Clara. Llevamos cuatro días en Granada, que es una ciudad preciosa y, la verdad, nos lo estamos pasando de maravilla aunque **(1)** *(tener, nosotros)* .... algunos problemas. Estamos alojados en un hotel del centro de Granada bastante barato y, hasta hoy, **(2)** *(salir, nosotros)* .... casi todas las noches de bares y discotecas, y **(3)** *(bailar, nosotros)* .... un montón, hay mucho ambiente y los garitos cierran tarde, a las tres o las cuatro, así que **(4)** *(dormir, nosotros)* .... muy poco y **(5)** *(acostarse, nosotros)* .... a las tantas. **(6)** *(Ser)* .... muy divertido.

Ya **(7)** *(ver, nosotros)* .... La Alhambra que es preciosa, aunque está llena de turistas pero todavía no **(8)** *(entrar, nosotros)* .... en los tablaos flamencos del Sacromonte que nos **(9)** *(decir, ellos)* .... que son estupendos, pero es que no **(10)** *(tener, nosotros)* .... tiempo porque **(11)** *(conocer, nosotros)* .... a unos gaditanos simpatiquísimos que nos **(12)** *(llevar, ellos)* .... a los mejores lugares de Granada. Aquí cocinan de muerte y creo que **(13)** *(engordar, yo)* .... dos kilos porque no **(14)** *(parar, yo)* .... de comer. A partir de hoy estoy a régimen.

Hoy, sin embargo **(15)** *(ser, él)* .... un día de pena, nos **(16)** *(pasar, él)* .... de todo: primero **(17)** *(desayunar, nosotros)* .... en una terraza y me **(18)** *(robar, ellos)* .... la mochila con mi documentación y mi tarjeta de crédito; **(19)** *(ir, nosotros)* .... a la comisaría y **(20)** *(poner, yo)* .... una denuncia; más tarde **(21)** *(ir, nosotros)* .... a pasear por los jardines del Generalife y dos hombres nos **(22)** *(atracar, ellos)* .... y Clara les **(23)** *(dar, ella)* .... los cincuenta euros que teníamos y, por último, **(24)** *(perder, ella)* .... las llaves del coche. Así que estamos pobres como las ratas y sin poder salir de la ciudad en un par de días, pero no te preocupes porque todo se va a solucionar. Y tú, ¿qué **(25)** *(hacer, tú)* .... estos días? Nos vemos muy pronto.

Un abrazo,

Darío

b. Di si las siguientes afirmaciones son verdaderas o falsas:

	Verdadero	Falso
1. En Granada cocinan muy mal	☐	☐
2. Darío ha perdido su mochila	☐	☐
3. Clara ha perdido las llaves del coche	☐	☐
4. Darío y Clara no pueden irse de Granada en dos días	☐	☐

c. Busca un sinónimo para las siguientes expresiones:

1. De muerte ....

2. Garito ....

3. Atracar ....

4. A las tantas ....

5. No parar de ....

6. Da pena ....

7. Hay mucho ambiente ....

d. Escribe las expresiones de valoración que aparecen en el texto:

Nos lo estamos pasando de maravilla

Unidad 5

5.1. **a.** **¿Conoces a Mafalda y a Quino? A continuación vas a leer algunos datos de sus biografías. Completa los espacios con el verbo en pretérito indefinido:**

Mafalda es un entrañable personaje de tebeo. Su creador **(1)** *(ser)* .... Joaquín Salvador Lavado, conocido como Quino, y **(2)** *(nacer)* .... en Mendoza (Argentina) en el año 1932.

Mafalda **(3)** *(representar)* .... el inconformismo de la humanidad, pero con fe en su generación. **(4)** *(Criticar)* .... duramente la injusticia, la guerra, las armas nucleares, el racismo, las absurdas convenciones de los adultos y, claro, la sopa.

Mafalda **(5)** *(nacer)* .... en el año 1958 en Argentina. Su papá, corredor de seguros, y su mamá, ama de casa, **(6)** *(conocerse)* .... en la facultad. Cuando **(7)** *(casarse)* ...., ella **(8)** *(abandonar)* .... los estudios.

Quino la **(9)** *(llamar)* .... Mafalda en homenaje a un libro del escritor David Viñas. El 22 de setiembre de 1964 **(10)** *(aparecer)* .... la primera tira de Mafalda en la revista *Primera Plana*. Y a partir de marzo de 1965 Mafalda **(11)** *(publicarse)* .... en el diario *El Mundo*. Es aquí donde **(12)** *(tener)* .... mayor éxito y **(13)** *(comenzar)* .... a aparecer diariamente.

Mafalda **(14)** *(empezar)* .... la escuela a la edad de 5 años. El 21 de marzo de 1968 **(15)** *(nacer)* .... Guille, el hermanito de Mafalda.

Las historias de Mafalda **(16)** *(traducirse)* .... a 26 idiomas y sus libros **(17)** *(vender)* .... más de 20 millones de ejemplares.

El 25 de junio de 1973, Mafalda **(18)** *(despedirse)* .... de los lectores, año en que Perón **(19)** *(volver)* .... de su exilio en Madrid y **(20)** *(ser)* .... reelegido presidente.

b. **Quizás no conoces algunas palabras del texto. Intenta relacionar las palabras de la columna A con las de la columna B.**

Entrañable •   • Comida líquida y caliente

Tebeo •   • Tierno

Fe •   • En honor

Sopa •   • Volver a elegir

En homenaje •   • Cómic

Tira •   • Sucesión de viñetas de cómic

Reelegir •   • Confianza

c. **Escribe tres oraciones para comparar tu biografía con la de Mafalda.**

Ejemplo: Mafalda nació en el año 1958 y yo nací en 1974. ....

1. ....

2. ....

3. ....

5.2. **Completa las frases con la forma del pretérito indefinido que corresponda:**

Ejemplo: *Juan siguió muchos años viviendo en Barcelona.*

1. Laura y Jaime *(preferir)* .... ir de vacaciones al norte el verano pasado.

2. ¿Me *(mentir, vosotros)* .... ayer acerca de Carlos?

3. Lucas le *(pedir)* .... a Marcos su coche para hacer un viaje.

4. Silvia *(oír)* .... todo lo que *(decir, nosotros)* .... sobre ella y ahora está muy enfadada.

5. Ana y yo *(elegir)* .... el barrio de Gracia para vivir porque nos parece muy interesante.

6. Roma *(construir)* .... las mejores infraestructuras de la antigüedad, los romanos *(ser)* .... grandes ingenieros.

7. Después del viaje, Carmen y yo *(dormir)* .... doce horas seguidas.

8. Las asociaciones *(distribuir)* .... ayuda humanitaria a los afectados por el terremoto.

9. En su último disco, *Los Canarios (incluir)* .... tres canciones inéditas muy buenas.

10. Las armas de destrucción masiva *(destruir)* .... gran parte del país.

11. Mi abuelo *(morir)* .... a los 95 años.

12. El accidente *(ser)* .... terrible: *(caer, él)* .... al vacío desde un 5.º piso.

13. Yo *(leer)* .... *El Quijote* hace años y *(divertirse, yo)* .... mucho.

14. ¿Le *(pedir, tú)* .... el libro a Mónica la semana pasada?

15. El prisionero *(huir)* .... sin dejar rastro, la policía no *(poder)* .... hacer nada.

16. Le *(pedir, yo)* .... prestada su casa para el fin de semana pero no *(servir)* .... de nada, no me la deja.

17. La fiesta de Nochevieja *(incluir)* .... barra libre durante toda la noche.

18. Durante un tiempo, Andrés *(influir)* .... mucho en la manera de pensar de Joaquín.

19. El viernes pasado, después de la cena, *(sentirse, nosotros)* .... muy mal del estómago.

20. Miguel *(convertirse)* .... en un fanático de los cómics cuando *(leer)* .... *El Garaje Metálico* de Moebius.

21. Charo y yo *(preferir)* .... irnos, *(acostarse)* .... y *(dormir)* .... estupendamente.

22. ¿*(dormir, usted)* .... bien ayer? Porque yo *(dormir)* .... fatal.

23. Ana me *(mentir)* .... y me *(parecer)* .... horrible.

24. Juan *(medir)* .... la habitación antes de comprar los muebles.

25. Los jefes *(distribuir)* .... a los trabajadores en diferentes departamentos.

5.3. **Completa con la forma correcta del pretérito indefinido:**

Ejemplo: *En 1998 **murió** mi padre, al año siguiente **vinimos** a vivir aquí.*

1. Ayer *(ir, yo)* .... al cine pero no *(gustar, a mí)* .... nada la película.

2. El año pasado mi hermana y yo *(estar)* .... en Nápoles y allí *(preferir)* .... dormir en un hotel modesto pero más barato.

3. La cámara que *(coger, yo)* .... para el viaje no *(servir)* .... de mucho porque *(caerse)* ...., *(romperse)* .... y *(tener, yo)* .... que comprar otra.

4. Bea me *(pedir)* .... un favor hace tiempo y yo se lo *(hacer)* ...., así que ahora no me puede decir que no.

5. Ernesto y yo *(huir)* .... del estrés de la ciudad y *(venir)* .... a vivir al campo. Ahora estamos en la gloria.

6. Anoche *(haber)* .... tormenta pero *(ser)* .... muy pequeña, casi no *(darse, yo)* .... cuenta.

7. No *(saber, nosotros)* .... nada hasta la semana pasada.

8. ¿Y *(caber)* .... todo en un coche tan pequeño? ¡Increíble!

9. Ángela, Rodrigo y yo *(andar)* .... por Segovia durante toda la mañana. Es una ciudad preciosa.

10. Verónica me *(decir)* .... que Rosa *(conducir)* .... toda la noche para llegar a tiempo al concierto. ¡Está loca!

11. Para el cumpleaños de Alex *(traer, nosotros)* .... una tarta pero no *(ser)* .... suficiente.

12. Estoy muy enfadado con Valeria pero ayer *(contenerse, yo)* .... y no *(querer, yo)* .... decirle nada.

13. David *(componer)* .... una canción preciosa pero él dice que no le gusta.

14. Paula *(irse)* .... a vivir a Granada y allí *(rehacer)* .... su vida, ahora le va muy bien.

15. No *(poner, vosotros)* .... la calefacción y anoche casi *(morirse, nosotros)* .... de frío.

16. Iñigo y Octavio no *(poder)* .... contactar con nosotros y, al final, no *(verse, nosotros)* .... ¡Qué pena!

17. Hace dos semanas Chelo y José *(venir)* .... a visitarnos por sorpresa.

18. En el almacén, los zapatos *(agotarse)* .... y durante toda la semana pasada no los *(reponer)* ....

19. Hace dos semanas *(haber)* .... un terremoto en Marruecos.

20. Mi hermano me *(traer)* .... un regalo de Japón.

5.4. **Transforma las siguientes oraciones en una sola frase utilizando los conectores temporales:**

Ejemplo: *En enero me compré un coche. En junio lo vendí.*

...... *En enero me compré un coche y,* **después de unos meses**, *lo vendí.* ......

1. En 1997 me fui a vivir a Ginebra. En 1998 volví a mi ciudad.

....

2. A las tres puse el pollo en el horno. A las cuatro ya estaba hecho.

....

3. El martes pasado viajamos a Londres. El viernes visitamos la Tate Gallery.

....

4. En 1998 comencé mis estudios. En 2002 los terminé.

   ....

5. En marzo nos mudamos de casa. En noviembre nos volvimos a mudar.

   ....

6. A las cuatro de la tarde salí del trabajo. A las nueve quedé con mi hermano en el Café Comercial.

   ....

7. En febrero de 2000 empecé a trabajar. En abril de 2001 dejé el trabajo.

   ....

8. En otoño de 2002 hice un curso de informática. En verano de 2003 hice un curso parecido.

   ....

9. En 1993 me trasladé a Dublín. En 1995 me fui a vivir a Amsterdam. En mayo de 1998 volví a Sevilla.

   ....

10. El domingo llamé a Clara pero no estaba y le dejé un mensaje. El martes me llamó y quedamos para cenar.

   ....

5.5. **Corrige el marcador temporal si es necesario:**

1. En 1995 fui a Roma; al cabo de dos años, en 1998, volví una semana y me gustó mucho más la ciudad.

   ....

2. El miércoles pasado fuimos al teatro; una semana después, este lunes, hemos ido otra vez.

   ....

3. En junio de 2000 Mario y Lucía fueron a Tailandia; al año siguiente, en julio de 2002, viajaron a Japón.

   ....

4. El jueves me acosté a las tres; a la mañana siguiente, el viernes por la mañana, me desperté muy tarde.

   ....

5. Juanjo comenzó a trabajar como veterinario en 1997; al cabo de unos meses, en septiembre del 99, decidió dejarlo y trabajar en una empresa farmacéutica.

   ....

6. Llamé a Nacho a las ocho y no contestó; al cabo de una hora, a las once, lo volví a llamar.

   ....

7. Visité París por primera vez en julio de 1996; a los tres meses, en diciembre del mismo año, volví allí.

   ....

8. A principios de los ochenta *la movida madrileña* era la música española más innovadora; una década más tarde, en los noventa, ese movimiento musical casi no existía.

   ....

9. En 1990 conocí a mi marido; al año siguiente, el 12 de octubre del 91, nos casamos.

   ....

10. El jueves pasado estuve en casa de mis padres; dos días después, el sábado, tuvieron que ingresar a mi padre.

   ....

5.6. **a.** **Completa la biografía de Antonio Banderas con los verbos en pretérito indefinido:**

El nombre real de Antonio Banderas es Antonio Domínguez Banderas. **(1)** *(Nacer)* .... en Benalmádena, Málaga, en 1960 y, a los diecinueve años, **(2)** *(trasladarse)* .... a Madrid.

Muy pronto **(3)** *(comenzar)* .... a trabajar con Pedro Almodóvar. **(4)** *(Debutar)* .... con la película "Laberinto de pasiones". En 1985 **(5)** *(actuar)* .... en "Réquiem por un campesino español" y "La corte del rey faraón", y además **(6)** *(colaborar)* .... con Almodóvar en el largometraje "Matador".

En 1986 **(7)** *(protagonizar)* .... "La ley del deseo" junto a Carmen Maura y en 1988 **(8)** *(participar)* .... en "Mujeres al borde de un ataque de nervios" que **(9)** *(ser)* .... nominada a los Oscar.

En 1991 **(10)** *(irse)* .... a vivir a Los Ángeles. En 1992 **(11)** *(compartir)* .... rodaje con Tom Hanks en "Philadelphia". En 1993 **(12)** *(rodar)* .... "La casa de los espíritus" junto a Jeremy Irons y Winona Ryder.

En 1995 **(13)** *(trabajar)* .... con el director Fernando Trueba en "Two Much" donde **(14)** *(conocer)* .... a su actual mujer, Melanie Griffith, con la que **(15)** *(tener)* .... una hija.

En 1999 **(16)** *(debutar)* .... como director con la película "Locos en Alabama", protagonizada por su esposa.

b. **Transforma las siguientes oraciones del texto con los marcadores temporales que has aprendido en esta unidad. Conjuga los verbos como en el ejercicio anterior:**

1. En 1986 *(protagonizar)* "La ley del deseo" junto a Carmen Maura y en 1988 *(participar)* en "Mujeres al borde de un ataque de nervios".

   ....

   ....

2. En 1991 *(irse)* a vivir a Los Ángeles. En 1992 *(compartir)* rodaje con Tom Hanks en "Philadelphia".

   ....

   ....

3. En 1995 *(trabajar)* con el director Fernando Trueba en "Two Much" donde *(conocer)* a su actual mujer, Melanie Griffith con la que *(tener)* una hija.

   ....

   ....

5.7. **Lee la siguiente historia con atención:**

Un rey, **desconfiado** de las mujeres, se enamora perdidamente de una pastorcita llamada Griselda. Loco de amor, decide casarse con ella, así que va a pedirle la mano al padre, quien acepta muy **sorprendido** y **emocionado**. A los pocos días se casan y, unos meses después, tienen una hija; le ponen de nombre Esperanza.

Al cabo de un tiempo, un día, el rey ve a Griselda hablando con un pastor y, **enloquecido** por los celos, ordena matarlo. Para castigarla a ella, la expulsa del palacio, y además le arrebata a su hija Esperanza y la entrega en un convento. Pero Griselda tiene suerte porque una anciana mujer, que ve la entrega de la niña, le revela el paradero de su hija y puede seguir viéndola a escondidas. El rey, por su parte, no vuelve a verla más porque así se lo piden los monjes del convento en el momento de entregarla.

Dieciocho años más tarde, el rey vuelve a enamorarse de otra mujer mucho más joven que él. Pero esta vez no llega a casarse con ella porque descubre la identidad de la joven cuando un día la ve hablando con Griselda. En ese momento el rey se da cuenta del enorme parecido de ambas mujeres y lo comprende todo cuando las ve abarazarse con lágrimas en los ojos. El rey, **arrepentido**, les pide perdón. Ellas, **enternecidas**, lo perdonan y aceptan volver a vivir con él. El resto de sus vidas son felices y comen perdices.

a. **Une cada palabra con su definición:**

1. Arrebatar •		• a. En secreto
2. Parecido •		• b. Quitar algo a alguien con violencia
3. Expulsar •		• c. Lugar de destino
4. Paradero •		• d. Echar de un lugar a alguien
5. Revelar •		• e. Decir un secreto
6. A escondidas •		• f. Semejanza

b. **Completa las siguientes definiciones con una de las palabras que se ofrecen:**

1. **Desconfiado:** que no tiene .... en otras personas.
   - ☐ a. confianza   ☐ b. confiación   ☐ c. confiencia

2. **Enloquecido:** poseído por la ....
   - ☐ a. loquería   ☐ b. loqueza   ☐ c. locura

3. **Enternecidas:** llenas de ....
   - ☐ a. terneza   ☐ b. ternura   ☐ c. ternanza

4. **Emocionado:** que siente ....
   - ☐ a. emoción   ☐ b. moción   ☐ c. emocionamiento

5. **Arrepentido:** que siente ....
   - ☐ a. arrepentura   ☐ b. arrepentición   ☐ c. arrepentimiento

6. **Sorprendido:** que siente ....
   - ☐ a. sorpresión   ☐ b. sorprendez   ☐ c. sorpresa

c. **¿Conoces el verbo que le corresponde a cada una de las palabras anteriores? Escribe el infinitivo.**

1. Desconfiado: ....   4. Emocionado: ....
2. Enloquecido: ....   5. Arrepentido: ....
3. Enternecidas: ....   6. Sorprendido: ....

d. **Transforma el texto anterior de presente a pasado (pretérito indefinido):**

Unidad 6

6.1. **Completa con:**

> **gran/grande** • **buen/bueno/buena** • **mal/malo/mala** •
> **primer/primero** • **tercer/tercero**

Ejemplo: Tokio es una ....*gran*........ ciudad, es inmensa.

1. Pedro es alguien estupendo, es una .... persona.

2. Juan tiene una .... casa, es enorme, tiene más de 300 metros cuadrados.

3. Andrés fue el .... de su clase y su amigo Enrique el segundo.

4. .... se cuece la pasta y después, se añade la salsa.

5. Carmela vive en el .... y Laia dos plantas más abajo, en el ....

6. El piloto Alonso quedó en .... lugar en Montecarlo. El campeón fue Schumacher.

7. Pablo es un .... amigo, nunca está cuando lo necesitas.

8. Daniel es una .... persona, no puedes fiarte de él, te critica cuando no estás.

9. Es un vino .... , no tiene sabor ni color, no es de calidad.

10. Fue un .... concierto. No me gustó nada.

11. Esta novela es muy .... , aburrida, un rollo.

12. En esta cafetería tienen un .... café. Yo vengo a menudo porque está riquísimo.

13. Este queso está muy .... ¿De dónde es? Tiene un sabor increíble.

14. Esta niña es muy .... bailarina. Algún día va a ser famosa.

15. Blanca fue una .... deportista. Fue la .... atleta española en ganar una medalla olímpica.

16. El Real Madrid ocupa el .... puesto en la clasificación, de momento el Valencia es líder.

17. Lidia es una .... madre, solo piensa en sus hijos.

18. Anselmo tiene un .... corazón, es demasiado .... , siempre está haciendo favores a los demás.

19. Una .... noticia: 3 muertos y 10 heridos en las carreteras españolas este fin de semana.

20. Por fin un .... resultado. Después de perder tres partidos, hemos ganado hoy.

6.2. **Corrige si es necesario:**

Ejemplo: Mi ~~primero~~ curso en la Universidad fue muy divertido.

       Mi **primer** curso en la Universidad fue muy divertido. ....

1. Tienes una gran amiga, es estupenda.

   ....

2. No, gracias, no quiero más: es el tercer trozo de tarta que me como, estoy llena.

   ....

3. Es un grande libro, tienes que leerlo.

   ....

4. Ayer tuve un malo sueño, una pesadilla. Fue horrible, me desperté a medianoche.

   ....

5. Es una mala película, un rollo. No merece la pena.

   ....

6. Es mi primer año en la facultad y los exámenes me parecen muy difíciles.

   ....

7. El primero día en Barcelona lo pasé muy bien.

   ....

8. Tengo una buen idea: ¿Nos vamos de excursión a Toledo?

   ....

9. Ahora Ferrero va el primer en la clasificación y Costa el tercer, es impresionante.

   ....

10. ▷ Es un bueno restaurante y no es muy caro. Podemos ir a cenar el sábado.
    ► No es un malo plan, vale.

   ....

6.3. **Completa con:**

> tan • tanto • tanta • tantos • tantas

Ejemplo: Nunca he pasado ....tanto........ miedo.

1. No he conocido nunca a nadie .... inteligente.
2. Braulio es .... simpático como Vanesa.
3. Vicente es .... educado como Nuria pero él es más discreto.
4. Roberto tiene .... libros que no sabe dónde ponerlos, no le caben en casa.
5. Carlota tiene .... dinero como Ester, son socias.
6. Virginia está .... delgada como su hermana mayor.
7. Eduardo ha visto .... películas como Federico, son unos locos del cine.
8. Héctor y Valen han tenido .... obstáculos en la vida como sus padres. Son unos luchadores natos.
9. Marcela es .... idiota como su amiga, no las soporto.
10. Recibieron .... amenazas que decidieron salir del país.
11. Tú tienes .... experiencia como cualquiera de ellos.
12. ¡No exageres! No tienes .... preocupaciones.
13. Los dos tienen .... vocabulario como Merche pero ella pronuncia mejor.
14. Aquí comemos .... carne como en Francia pero menos pescado.
15. La India es casi .... grande como Europa.
16. Hispanoamérica no está .... desarrollada como EE. UU.
17. Marga y Miriam están .... preocupadas por Adrián como yo, pero no tienen .... tiempo para estar con él.
18. Mar no ha hecho .... esfuerzos como nosotros.

19. Son _____ inocentes como los niños pequeños.

20. Mi ordenador es _____ rápido como el tuyo.

6.4. **Corrige el error si es necesario:**

Ejemplo: Libertad tiene dos años más **como** Jacinto.

Libertad tiene dos años más **que** Jacinto.

1. Rebeca es más buena que su hermano.

2. Lola tiene tantas problemas que no sabe por dónde empezar.

3. Concha está tan contenta que nosotros por el viaje.

4. Julián tiene tanta energía como un toro.

5. Patricia ha viajado tanta veces como tú.

6. Yo peso cuatro kilos más como tú.

7. Lucrecia ha leído muchos más libros que yo.

8. Lorenzo está menos enfadado que Mariano por lo del otro día.

9. Sabina es peor que Camarón, sin duda alguna.

10. U2 son menos interesantes como Radiohead.

11. Mi abuelo es más viejo que el tuyo.

12. Victoria está emocionadísima con la fiesta del viernes.

13. García tiene más seguridad que Gómez a la hora de tomar decisiones.

14. Santiago es más maduro que Azucena.

15. Minerva es mayor como su hermano.

16. Paloma es tanta guapa que Isa.

17. Los informativos de la 2 son mejores que los de la 1.

18. El café de Brasil es mejor como el italiano.

19. Las películas americanas pueden ser tan buenas como las europeas.

6.5. A continuación tienes las fotos de dos protagonistas de las películas de Pedro Almodóvar: Javier Cámara y Gael García Bernal. Escribe cinco oraciones comparando a estos dos actores:

Javier Cámara

Gael García Bernal

Ejemplo: Javier es **mayor que** Gael.

1. ....
2. ....
3. ....
4. ....
5. ....

6.6. Completa con un elemento de cada columna:

> libro • película • vestido • chico • zapatos • perro • mujer • amigos • café

> idiotas • guapa • simpático • gracioso • triste • bonito • aburrido • elegantes • bueno

1. ¡Qué ......café...... más ......bueno......!, ¿de qué marca es?
2. ¡Qué .... tan ....!, ¡te queda muy bien!
3. ¡Qué .... tan ....!, ¿dónde lo has conocido?
4. ¡Qué .... tan ....!, ¿de qué raza es?
5. ¡Qué .... más ....!, ¿es española?
6. ¡Qué .... más ....!, a la salida del cine no paré de llorar.
7. ¡Qué .... más ....!, ¡qué rollo!
8. ¡Qué .... tan ....!, ¿son nuevos?
9. ¡Qué .... más ....!, ¿los conoces desde hace mucho tiempo?

6.7. **a.** **Relaciona las palabras de las dos columnas siguientes:**

1. Falda	a. Azules
2. Vecinos	b. Aburrido
3. Camisa	c. Mona
4. Dientes	d. Limpia
5. Pelo	e. Pesados
6. Artículo	f. Largo
7. Música	g. Relajante
8. Cocina	h. Sexy
9. Pantalones	i. Estrechos
10. Ojos	j. Blancos
11. Sofá	k. Cómodo

b. **Crea frases con cada palabra:**

1. ¡Qué falda tan mona!
2. ....
3. ....
4. ....
5. ....
6. ....
7. ....
8. ....
9. ....
10. ....
11. ....

6.8. **Convierte las siguientes oraciones a estilo indirecto:**

1. María: "Estoy harta de trabajar".
   María dice ....

2. Juan: "No tengo dinero".
   Juan asegura ....

3. Ramón: "Mis padres van a comprarse una casa".
   Ramón me cuenta ....

4. Inés y Javier: "Mañana nos vamos de vacaciones".
   Ellos dicen ....

5. Clara: "Me he olvidado de llamar a Diego".
   Clara dice ....

6. Diego: "Clara no me llamó ayer".
   Diego dice ....

7. Dolores: "¿Quieres comer con nosotros?".
   Dolores me pregunta ....

8. Iván: "¿Dónde has conseguido esa moto?".
   Iván le pregunta a Tomás ....

9. Juana: "¿Sabes ir a casa de Adrián?".
   Juana me pregunta ....

10. Celia: "¿Cuándo os llamó Óscar?".
    Celia nos pregunta ....

11. Felipe: "Tu decisión es muy importante".
    Felipe me dice ....

12. Carolina: "¿Alguien sabe dónde están mis gafas?".
    Carolina pregunta ....

13. Leo: "Ayer le conté a Felipe mi problema y no pudo ayudarme".
    Leo me explica ....

14. Soledad: "Ahora no puedo. Estoy escuchando las noticias".
    Soledad dice ....

6.9. **Lee los siguientes diálogos:**

Diálogo 1

► ¿Sabes que Juanma se ha casado con mi prima?

▷ **¡No me lo puedo creer!**

► Te lo juro, ¿a que **es increíble**?

Diálogo 2

► ¡Felicidades Pedro!

▷ Gracias, Susana.

► **¡Qué guapo que estás!**

▷ **¡Quita, quita!** Si parezco un pingüino.

Diálogo 3

► ¿Qué te pasa Julián?

▷ Que se ha muerto mi abuelo.

► **¡Vaya, cuánto lo siento!**

Diálogo 4

► ¿Estuviste ayer en la fiesta de cumpleaños de Sofía?

▷ Sí, solo me quedé una hora. Fue **un tostonazo**.

► **¿En serio? ¡Qué raro!** Las fiestas de Sofía siempre son muy divertidas.

▷ Pues esta fue **un rollo**.

Diálogo 5

► **¡Qué alucinante!** ¿Ese coche es tuyo?

▷ **No, hombre, no,** es de mi padre. ¿Te gusta?

► **Es una pasada.**

▷ Vamos, hombre, **no es para tanto.**

a. **Coloca cada una de las expresiones en el lugar correspondiente:**

Sorpresa o incredulidad	Negación rotunda	Decepción, lamentación	Expresar entusiasmo o interés	Expresar aburrimiento	Hacer un cumplido	Responder a un cumplido
No me lo puedo creer.						

b. **Añade las siguientes expresiones a la tabla anterior:**

¡Qué pena! • Anda, anda • Lo siento • ¡No me digas! • ¡Qué bien! • ¡Vaya por Dios! • ¿Qué me dices? • ¡Qué interesante! • ¡Ni hablar! • ¡Ni soñarlo! • ¡Qué maravilla! • ¡Qué elegante vienes! • ¡Qué soso! • Lo lamento • ¿De verdad?

c. **Algunas de estas expresiones son habituales en acontecimientos sociales. Vamos a repasar el vocabulario. Une cada palabra con el grupo de palabras que crees que ayudan a definirla:**

1. Boda
2. Bautizo
3. Comunión
4. Entierro
5. Despedida de soltero

a. cementerio, muerto, tristeza
b. niños, ostia sagrada, iglesia
c. bebé, agua sagrada, iglesia
d. novios, matrimonio, anillos
e. sorpresas, bromas, baile, amigos

Unidad 7

7.1. **Completa con la forma correcta del pretérito imperfecto:**

Ejemplo: *Asdrúbal no durmió ayer y hoy estaba muerto de sueño.*

1. Cuando (*ser, yo*) .... pequeña (*tener, yo*) .... un amigo que (*llamarse*) .... Nicolás y siempre (*jugar, nosotros*) .... a las chapas; él (*ser*) .... muy bueno y yo nunca (*poder*) .... ganarle.

2. Ayer mientras (*ver, yo*) .... la tele Juan (*fregar*) .... los cacharros y Vera (*terminar*) .... su trabajo.

3. Carolina a menudo (*pasear*) .... por el parque pero ahora han hecho un aparcamiento y ya no sale a dar una vuelta casi nunca.

4. ¿Vosotros antes (*ir*) .... mucho a Segovia, no?

5. Pamela (*ir*) .... todos los veranos a Italia; allí (*conocer*) .... a un montón de gente y (*salir*) .... todas las noches, (*pasarlo*) .... muy bien y (*hablar*) .... italiano perfectamente, pero hace unos años dejó de ir, no sé por qué.

6. Mis padres (*soler*) .... ir de vacaciones a países exóticos, (*gustar, a ellos*) .... mucho Asia y (*interesar, a ellos*) .... la cultura japonesa pero dicen que ahora todo ha cambiado y hace tiempo que no salen de Europa.

7. Mi hermana, cuando (*tener*) .... cinco años (*coger*) .... insectos y los (*llevar*) .... a casa, mi madre (*ponerse*) .... furiosa y casi siempre la (*castigar*) ...., pero a mi hermana (*dar, a ella*) .... igual y (*volver*) .... a traer los bichos que (*encontrar*) .... por ahí.

8. Cuando mis amigos (*tener*) .... quince años (*adorar*) .... la música heavy y (*llevar*) .... pantalones elásticos y melenas, (*odiar*) .... los grupos de pop y nunca (*ir*) .... a discotecas.

9. En el colegio, todos los años (*hacer, nosotros*) .... una representación a final de curso. (*Cantar, nosotros*) .... o (*bailar, nosotros*) .... y yo (*sufrir*) .... mucho porque no (*gustar, a mí*) .... actuar, (*ponerse, yo*) .... tan nerviosa que, a veces, hasta (*llorar, yo*) ....

10. La casa de mis abuelos (*ser*) .... enorme. (*Tener*) .... dos pisos, (*haber*) .... un jardín precioso que (*estar*) .... lleno de flores y un trastero donde mis hermanos y yo (*buscar*) .... ropa para disfrazarnos; (*encantar, a mí*) .... ese lugar.

11. Julio no vino a clase porque (*estar*) .... enfermo: (*tener*) .... fiebre, (*doler, a él*) .... la cabeza y (*estornudar*) .... sin parar.

12. Muchas veces Manolo y yo (*decidir*) .... adónde ir en el último minuto. (*Ser*) .... muy divertido.

13. En la misma época que Paco (*estudiar*) .... yo (*trabajar*) .... en una editorial.

14. ¿Candela y tú no (*vivir*) .... en el barrio de Gracia hasta hace poco?

15. Vosotros dos nunca (*estudiar*) .... en la universidad pero casi siempre (*sacar*) .... buenas notas, (*ser*) .... increíble.

16. Cuando *(tener, tú)* .... trece años *(ser, tú)* .... gordito y *(llevar)* .... una ropa espantosa pero ahora estás guapísimo. ¡Vaya cambio!

17. Antes Sonia *(ser)* .... abstemia, no *(beber)* .... alcohol pero ahora le encanta el güisqui.

18. Cuando *(ser, yo)* .... una adolescente no *(ir)* .... nunca a clase y *(pasarse)* .... las horas en el parque con los amigos; *(escuchar, nosotros)* .... música y *(reírse)* .... muchísimo de tonterías.

19. Patricio no *(querer)* .... casarse ni tener hijos y ahora tiene cuatro.

20. Cuando *(vivir, nosotros)* .... en Estocolmo casi no *(tener, nosotros)* .... dinero y no *(poder)* .... salir mucho, casi no *(ir, nosotros)* .... al cine ni *(cenar, nosotros)* .... fuera pero *(ser, nosotros)* .... muy felices.

7.2. **Pon el verbo entre paréntesis en la forma correcta del pretérito imperfecto:**

1. La casa de Paula *(ser)* muy grande, *(parecer)* una mansión.
....

2. Antonio antes *(jugar)* al fútbol todos los domingos.
....

3. Antes de tomar vitaminas siempre me *(sentir, yo)* cansada.
....

4. Cuando *(ser, yo)* pequeña *(ir, yo)* todos los domingos a misa.
....

5. De pequeño, me *(costar)* mucho estudiar.
....

6. Antes *(dormir, nosotros)* hasta muy tarde.
....

7. Todos los días mi hermana me *(pedir)* el coche para ir a la discoteca.
....

8. En mi adolescencia, siempre *(jugar)* al baloncesto.
....

9. Los amigos de mi hermana *(tener)* un grupo de rock y *(tocar)* en el garaje de casa.
....

10. ¿Qué te *(gustar)* comer cuando *(ser)* pequeña?
....

7.3. **Completa con el verbo en el tiempo correcto (presente o pretérito imperfecto):**

1. Antes no *(existir)* .... los ordenadores, y ahora todo el mundo *(tener)* .... uno.

2. Ahora *(lavar, nosotros)* .... la ropa en la lavadora, pero antes *(lavar, ellos)* .... a mano.

3. Antes, en América Latina *(haber)* .... indios, ahora casi no *(quedar)* ....

4. Ahora la gente *(viajar)* .... en avión y antes las personas *(ir)* .... en tren o en barco.

5. Antes Europa *(ser)* .... la primera potencia mundial, ahora *(ser)* .... Estados Unidos.

6. Antes los ejércitos *(luchar)* .... con cañones, ahora las guerras *(ser)* .... atómicas.

7. Ahora todo el mundo *(tener)* .... una tarjeta visa, antes las personas *(guardar)* .... su dinero en casa.

8. Antes la gente *(enviar)* .... cartas, ahora *(escribir, nosotros)* .... correos electrónicos.

9. Antes pocas personas *(poder)* .... estudiar una carrera universitaria, ahora mucha más gente *(estudiar)* ....

10. Antes los niños *(jugar)* .... con juegos, ahora todos *(divertirse)* .... con consolas.

7.4. **Coloca el verbo en imperfecto. Se trata de acciones en desarrollo sin terminar, pues han sido interrumpidas por otra acción. Fíjate en el otro verbo ya conjugado:**

1. Mientras *(leer, yo)* ...., oí un fuerte ruido.

2. El teléfono empezó a sonar, cuando yo *(salir)* .... por la puerta.

3. La planta se cayó mientras yo *(dormir)* ....

4. Los ladrones robaron el banco mientras nosotros *(sacar)* .... dinero del cajero.

5. Los padres *(comprar)* .... el diario cuando el perro mordió al niño.

6. La música *(sonar)* .... muy alta cuando Pedro gritó.

7. *(Hacer)* .... la cena, cuando mi madre llegó.

8. Nosotros *(estar)* .... durmiendo la siesta y, de repente, la estufa explotó.

9. *(Estar)* .... en el jardín podando las plantas cuando sucedió el accidente, justo enfrente de casa.

10. *(Roncar)* .... muy fuerte y, cansada de oírlo, lo desperté.

7.5. **Une las oraciones:**

a.

1. Inés no fue a tu fiesta •	• **a.** me dolía mucho el estómago.
2. Ayer no comí •	• **b.** había un actor enfermo.
3. Te escribí un mail • **porque**	• **c.** estaba muy preocupada.
4. La obra se suspendió •	• **d.** tenía mucho trabajo.
5. Los libros no se vendieron •	• **e.** eran malísimos.

b.

1. no contestabas al teléfono, •	• **a.** encendimos la chimenea.
2. los bebés lloraban sin parar, •	• **b.** fui a comprar unos chupetes.
Como **3.** teníamos mucho frío, •	• **c.** me fui sola al cine.
4. sudaba mucho, •	• **d.** os lo presenté.
5. queríais conocerlo, •	• **e.** me quité la chaqueta.

7.6. Completa con la forma correcta del verbo *soler* en pretérito imperfecto. Después reescribe la frase sin utilizar este verbo ni cambiar el sentido de la misma:

Ejemplo: Mi yerno ......solía...... pasear por el campo todos los fines de semana, ahora no tiene tiempo.

> Mi yerno **paseaba** por el campo todos los fines de semana, ahora no tiene tiempo.

1. Jerónimo y yo .... salir a cenar fuera pero ahora casi siempre nos quedamos en casa.

....

2. Mari Carmen .... levantarse temprano pero ahora que está jubilada se despierta tarde.

....

3. Cristina y tú .... ir a Valencia en verano, ¿no?

....

4. Mis padres .... venir a visitarme en Semana Santa pero ahora vivimos demasiado lejos.

....

5. Mi abuelo .... beber un vaso de vino en las comidas pero ahora se lo ha prohibido el médico.

....

6. Tú .... caminar una hora diariamente. ¿Por qué no sigues haciéndolo?

....

7. Mercedes y su marido .... veranear en Benidorm pero dicen que ahora está masificado.

....

8. Antes yo .... ver una película cada semana pero ya no puedo ir al cine.

....

9. Tú .... hacer natación, ¿verdad? ¿Por qué lo has dejado?

....

10. Sara .... hacerse sus propios vestidos pero ahora se los compra.

....

7.7. a. **Aquí tienes una canción de un conocido cantautor español: Joaquín Sabina, donde cuenta lo que solía hacer *cuando era más joven*. Completa el texto conjugando los verbos en pretérito imperfecto:**

Cuando **(1)** *(ser, yo)* .... más joven viajé en sucios trenes que **(2)** *(ir)* .... hacia el norte, y dormí con chicas que **(3)** *(hacerlo)* .... con hombres por primera vez. **(4)** *(Comprar, yo)* .... salchichas y **(5)** *(olvidar, yo)* .... luego pagar el importe.

Cuando **(6)** *(ser, yo)* .... más joven me he visto esposado delante del juez.

Cuando **(7)** *(ser, yo)* .... más joven **(8)** *(cambiar, yo)* .... de nombre en cada aduana, **(9)** *(cambiar, yo)* .... de casa, **(10)** *(cambiar, yo)* .... de oficio, **(11)** *(cambiar, yo)* .... de amor. Mañana **(12)** *(ser)* .... nunca y nunca **(13)** *(llegar)* .... pasado mañana.

Cuando **(14)** *(ser, yo)* .... más joven **(15)** *(buscar, yo)* .... el placer engañando al dolor.

(16) *(Dormir, yo)* .... de un tirón cada vez que **(17)** *(encontrar, yo)* .... una cama, **(18)** *(haber)* .... días que **(19)** *(tocar)* .... comer, **(20)** *(haber)* .... noches que no, **(21)** *(fumar, yo)* .... de gorra y **(22)** *(sacar, yo)* .... la lengua a las damas que **(23)** *(andar)* .... del brazo de un tipo que nunca **(24)** *(ser)* .... yo.

Pasaron los años, terminé la mili, me metí en un piso, hice algunos discos, senté la cabeza, me instalé en Madrid. Tuve dos mujeres, pero quise más a la que más me quiso. Una vez le dije: "¿Te vienes conmigo?". Y contestó que sí.

Hoy como caliente, pago mis impuestos, tengo pasaporte, pero algunas veces pierdo el apetito y no puedo dormir.

Y sueño que viajo en uno de esos trenes que **(25)** *(ir)* .... hacia el norte.

Cuando **(26)** *(ser, yo)* .... más joven, la vida **(27)** *(ser)* .... dura, distinta y feliz.

(28) *(Dormir, yo)* .... de un tirón cada vez que **(29)** *(encontrar, yo)* .... una cama.

(30) *(Haber)* .... días que **(31)** *(tocar)* .... comer, **(32)** *(haber)* .... noches que no, **(33)** *(fumar, yo)* .... de gorra y **(34)** *(sacar, yo)* .... la lengua a las damas que **(35)** *(andar)* .... del brazo de un tipo que nunca **(36)** *(ser)* .... yo.

Cuando era más joven, canción del álbum "Juez y parte" de Joaquín Sabina.

b. **Contesta si las siguientes afirmaciones son verdaderas o falsas:**

		Verdadero	Falso
1.	Cuando era más joven no podía dormir.	☐	☐
2.	Cuando era más joven comía bien.	☐	☐
3.	Cuando era más joven no tenía siempre el mismo trabajo.	☐	☐
4.	Cuando era más joven el futuro parecía muy lejano.	☐	☐

c. **Elige la opción correcta que define las siguientes expresiones:**

1. Fumar de gorra.
   - ☐ a. Llevaba una gorra siempre que fumaba.
   - ☐ b. Pedía tabaco a alguien y, así, fumaba gratis.
   - ☐ c. Solamente fumaba los fines de semana porque no tenía dinero.

2. Dormir de un tirón.
   - ☐ a. Dormía boca arriba sin moverse en toda la noche.
   - ☐ b. Como no quería acostarse, su madre le tiraba de las orejas.
   - ☐ c. Dormía sin despertarse en toda la noche.

3. Meterse en un piso.
   - ☐ a. Compró un piso.
   - ☐ b. Entró en un piso sin llamar a la puerta.
   - ☐ c. Ocupó un piso sin autorización del dueño.

4. Sentar la cabeza.
   - ☐ a. Dejó de sonreír.
   - ☐ b. Se sentó y apoyó la cabeza en el respaldo de la silla.
   - ☐ c. Maduró, tenía una vida adulta y formal.

5. Tocar comer.

    ☐ a. Le gustaba tocar la comida.

    ☐ b. A veces comía y a veces, no.

    ☐ c. Algunos días tocaba algún instrumento mientras comía.

6. Verse esposado.

    ☐ a. Casado con una mujer: su esposa.

    ☐ b. La policía le puso esposas en las manos y perdió su libertad.

    ☐ c. Ser visto maltratando a su esposa.

d. Busca en el texto un sinónimo de las siguientes palabras o expresiones:

1. El precio: ....

2. El servicio militar obligatorio: ....

3. El trabajo: ....

4. Un hombre: ....

5. La frontera: ....

e. Intenta hacer una redacción explicando cómo era tu vida cuando eras más joven y cómo es ahora. ¿Cuáles son las cosas que han cambiado?

Unidad 8

8.1. Completa las frases con los verbos en el tiempo del pasado apropiado (pretérito perfecto o pretérito indefinido):

1. Esta mañana nosotros *(comprar)* .... muchas cosas.
2. Ayer *(ir, yo)* .... a ver a mi abuela.
3. Nunca *(conocer, yo)* .... a una persona tan interesante como él.
4. ¿Todavía no *(visitar, tú)* .... Sitges?
5. El año pasado *(estar, ellos)* .... en Ibiza.
6. Anoche yo te *(traer)* .... los libros pero no te *(encontrar)* ....
7. Las vacaciones pasadas Ana *(tener)* .... un accidente muy grave.
8. Últimamente *(estudiar, él)* .... mucho.
9. ¿Ya *(probar, tú)* .... la comida coreana?
10. El miércoles Juan me *(pedir)* .... mil euros.
11. Anteayer *(hacer, yo)* .... una fiesta en mi casa.
12. En 1998 *(alquilar, nosotros)* .... esta casa.
13. ¿Aún no *(viajar, vosotros)* .... fuera de Europa?
14. El martes Ernesto *(ir)* .... a una librería y *(elegir)* .... un libro para mí. ¿No es un encanto?
15. Esta mañana el niño *(romper)* .... la ventana con el balón.
16. En agosto *(ir, nosotros)* .... a París y *(conducir)* .... toda la noche.
17. Aquel día *(venir)* .... mis primos y *(tener, yo)* .... que estar con ellos toda la tarde.
18. Ese mes no *(poder, yo)* .... gastar nada porque no *(cobrar, yo)* .... ni un euro.
19. Este mes *(viajar, tú)* .... mucho gracias al trabajo. ¡Qué suerte tienes!
20. En su vida *(querer)* .... ir a Estados Unidos.

8.2. Completa con el tiempo adecuado:

1. Loli .... un concurso la semana pasada.
   - ☐ a. ganó
   - ☐ b. ganaba
   - ☐ c. ha ganado

2. No me .... las botas porque .... muy caras.
   - ☐ a. compré, fueron
   - ☐ b. compré, eran
   - ☐ c. compré, han sido

3. Cuando yo .... en Suiza, ... deporte cada día.
   - ☐ a. estudié, hacía
   - ☐ b. estudiaba, hacía
   - ☐ c. he estudiado, hacía

4. El domingo .... una película en la que .... Antonio Banderas.
   - ☐ a. he visto, actuaba
   - ☐ b. vi, actuó
   - ☐ c. vi, actuaba

5. Ayer no .... a clase porque ....

    ☐ a. he ido, nevaba   ☐ b. iba, nevaba   ☐ c. fui, nevaba

6. Esta mañana .... el paraguas porque .... mucho.

    ☐ a. cogí, llovió   ☐ b. he cogido, llovía   ☐ c. he cogido, llovió

7. Ese mes, después del accidente, ... en casa sin poder moverme. Nunca .... tanto.

    ☐ a. he estado, me he aburrido

    ☐ b. estaba, me aburrí

    ☐ c. estuve, me he aburrido

8. En agosto del 2000 .... el negocio y este año .... que cerrarlo.

    ☐ a. abrimos, tuvimos

    ☐ b. hemos abierto, hemos tenido

    ☐ c. abrimos, hemos tenido

9. Anteayer .... cuando .... el apagón.

    ☐ a. dormíamos, hubo

    ☐ b. dormíamos, ha habido

    ☐ c. dormimos, había

10. Lo .... y .... que .... culpable.

    ☐ a. vi, supe, fue   ☐ b. vi, supe, era   ☐ c. veía, supe, era

8.3. **Completa con el pretérito indefinido o el pretérito imperfecto:**

1. Ayer (acostarse, yo) .... pronto porque (estar, yo) .... muy cansado.

2. Anais y Lucrecia (vivir) .... un año en Colonia porque (querer) .... aprender alemán.

3. Mi padre, cuando (tener) .... 10 años, (caerse) .... a la vía del tren y (romperse) .... un brazo. Durante mucho tiempo no (poder) .... escribir y, a veces, todavía le duele.

4. De pequeña, Sonsoles (ser) .... una gran gimnasta, (correr) .... muy rápido, pero un buen día lo (dejar) .... por completo porque, en realidad, no (gustar, a ella) .... la competición.

5. Mis abuelos (conocerse) .... en 1933 y (casarse) .... dos años más tarde, (ser) .... muy jóvenes los dos. Mi abuelo (tener) .... solo 20 años y mi abuela, 18.

6. Gustavo y yo (tener) .... que contratar a un arquitecto para reformar la casa porque (estar) .... en muy malas condiciones: el baño no (tener) .... puerta, la cocina (ser) .... muy antigua y las habitaciones no (tener) .... apenas luz.

7. Vosotros (sufrir) .... un accidente de coche hace dos años, ¿no? ¡Menos mal que no (pasar, a vosotros) .... nada! (ser) .... un milagro porque tú no (llevar) .... puesto el cinturón de seguridad.

8. En el 99 yo (vivir) .... en París y allí (descubrir) .... que mi pasión (ser) .... el cine: (ir) .... todos los días y (ver) .... reposiciones de Ford, Murnau, Truffaut... Entonces (saber) .... que (querer) .... ser director.

9. Cuando *(enterarse, yo)* .... de que Ernesto *(estar)* .... enfermo, *(trasladarse)* .... a Sevilla y lo *(cuidar)* .... durante tres meses hasta que *(mejorar)* ....

10. Nosotros *(salir)* .... anoche hasta las tantas, *(estar)* .... en 5 ó 6 bares. *(Pasarlo)* .... muy bien. Al final *(entrar)* .... en una discoteca pero *(irse)* .... enseguida porque *(poner, ellos)* .... música tecno, *(haber)* .... demasiada gente y el ambiente no *(gustar, a nosotros)* .... *(Decidir, nosotros)* .... cambiar de lugar y *(encontrar)* .... un sitio estupendo donde *(bailar)* .... el resto de la noche.

11. Mi hermana *(venir)* .... a visitarme la semana pasada y la *(ver, yo)* .... muy cambiada: *(estar)* .... más delgada, *(llevar)* .... el pelo largo. *(Parecer, a mí)* .... que *(sentirse, ella)* .... mucho más feliz.

12. Raquel y Emma *(estudiar)* .... en la misma facultad durante cinco años, pero no *(conocerse)* .... hasta varios años después, cuando un día *(encontrarse)* .... en el barrio y *(descubrir)* .... que *(ser)* .... vecinas.

13. Ramón *(cambiar)* .... de trabajo porque *(estar)* .... harto: *(trabajar)* .... más de ocho horas diarias y *(ganar)* .... una miseria. Por lo menos ahora trabaja en algo que le gusta.

14. La fiesta de ayer *(ser)* .... un desastre: no *(haber)* .... suficiente bebida para todos, la música *(ser)* .... horrible, nadie *(bailar)* .... Además, *(venir)* .... muy poca gente. Total, que *(aburrirse, yo)* .... mucho.

15. Jordi *(viajar)* .... a Buenos Aires el año pasado y *(encantar, a él)* .... Dice que la gente *(ser)* .... simpatiquísima y la ciudad impresionante, *(querer)* .... quedarse a vivir allí y durante el tiempo que *(estar)* .... , *(buscar)* .... trabajo pero no lo *(encontrar)* .... así que *(volver)* .... a Barcelona.

16. Flora no *(saber)* .... nada de arte pero *(ponerse)* .... a estudiar por su cuenta porque *(apasionar, a ella)* .... Picasso y *(convertirse)* .... en una experta. Ahora trabaja en el museo Reina Sofía.

17. Vosotros dos nunca me *(visitar)* .... cuando *(vivir, yo)* .... en Marruecos pero, claro, *(ser)* .... muy difícil porque, en aquella época, vosotros *(vivir)* .... en Moscú y *(estar, nosotros)* .... demasiado lejos.

18. Tú *(ser)* .... malo de pequeño, no *(jugar)* .... con niñas, *(pegar)* .... a tus hermanos y *(pelearse)* .... siempre con los compañeros. Me acuerdo que un día el profesor te *(sorprender)* .... escondido en los servicios y te *(castigar)* .... sin recreo durante una semana.

19. Cuando *(ser)* .... pequeños, mis hermanos y yo *(llevarse)* .... muy bien y eso que *(ser, nosotros)* .... ocho. Pero, durante la comunión de Yago, mi hermano Jesús *(enfadarse)* .... con nosotros porque no *(gustar, a él)* .... el traje y *(pasarse)* .... el día llorando y sin hablar con nadie.

20. Mis mejores recuerdos son del año que *(estar)* .... en Italia de Erasmus. *(Ser)* .... maravilloso. *(Conocer)* .... a mucha gente, *(aprender)* .... muchísimo y no *(aburrirse)* .... ni un momento. No *(tener)* .... tiempo para nada: por las mañanas *(ir)* .... a la universidad, por las tardes *(quedar)* .... casi siempre con los amigos y por las noches *(estudiar)* .... o *(salir)* .... de marcha, algunos fines de semana *(visitar)* .... otras ciudades.

8.4. **Corrige si es necesario:**

Ejemplo: Anoche no ~~podía~~ dormir durante toda la noche.

.... Anoche no **pude** dormir durante toda la noche. ....

1. Entre 1999 y 2002 Borja vivió en Varsovia y me contó que fue una experiencia única.

   ....

2. Natalia ha suspendido los exámenes de septiembre del año pasado porque no estudiaba lo suficiente durante el verano.

   ....

3. El otoño pasado no pude ir a visitarte porque no tuve dinero.

   ....

4. Este verano fue fantástico, he viajado por varios países, he visitado muchos museos y he aprendido un montón.

   ....

5. Cuando fui pequeña tuve un perro que se llamó Rigor, lo quise mucho porque fue muy cariñoso.

   ....

6. Mi madre, de joven, fue un poco impaciente, nunca estuvo quieta, tuvo que estar haciendo algo porque si no, se aburrió.

   ....

7. Ayer no fui a la fiesta porque me encontraba mal, me dolía la cabeza.

   ....

8. Nosotros hemos hecho muchos viajes juntos, por ejemplo, el año pasado estuvimos en Grecia dos semanas. Creo que ha sido el viaje que más nos ha gustado.

   ....

9. El concierto era fantástico. Me encantó porque la voz del cantante fue muy especial.

   ....

10. Últimamente no vi a Juan Luis. No sé dónde se metió este año.

    ....

11. Mi antigua casa era muy bonita, tenía unas ventanas enormes que daban a una plaza llena de palomas.

    ....

12. Cuando tuve doce años, una tarde me atropellaba un coche y me llevaban en ambulancia hasta el hospital.

    ....

13. Mis amigos de la infancia fueron chicos, me llevé mejor con ellos que con las chicas de mi edad, que me parecieron estúpidas.

    ....

14. Ana y Sabino nunca han estado en Madrid pero han ido muchas veces a Barcelona.

    ....

15. Antes no tuve teléfono móvil pero ahora no puedo vivir sin él. ¡Qué horror!

    ....

16. Vosotros fuisteis muy a menudo a la casa de la sierra cuando todavía no tuvisteis a vuestro hijo, ahora no vais nunca. ¡Qué pena!

    ....

17. Tú siempre has sido muy discreto y nunca has hablado mal de nadie; por eso te lo cuento a ti.

    ....

18. Hace unas horas he visto a Manuel en un restaurante chino. Estuvo muy cambiado: mucho más simpático y hablador.

....

19. Después de dos años de matrimonio, Petra y su marido se han divorciado este mes, yo no me lo esperé porque se llevaron muy bien y parecieron una pareja estupenda.

....

20. Hace 10 años nadie usó Internet en España ni tuvo teléfonos móviles. ¡Es increíble lo rápido que va todo!

....

21. Cuando comprendía la situación, decidí inmediatamente cambiar de trabajo.

....

22. El fin de semana pasado me quedé estudiando porque tuve un examen el lunes y no supe ni un tema. Fue estresante pero, al final, aprobé.

....

23. Nunca he vivido una situación tan ridícula como el día que me caía en un vagón de metro.

....

24. En 1995, fuimos de viaje a Granada y no podíamos ver la Alhambra porque había una cola interminable.

....

25. Cuando Vero tuvo 17 años se marchaba de casa y durante dos años sus padres no sabían nada de ella.

....

26. Se casaron la semana pasada y este lunes se han ido de luna de miel a Egipto. Todavía no he recibido ninguna postal.

....

27. Antes me gustaba mucho la música clásica pero hace poco tiempo descubrí la música pop-rock de los años setenta y ahora no escucho otra cosa.

....

28. Vosotros érais unos fanáticos del flamenco cuando os conocía y ahora solo escucháis música comercial.

....

29. El clima antes era diferente, los cambios de estación se notaban más, la primavera y el otoño eran más largos pero ahora, con el cambio climático, solo hay dos estaciones.

....

30. Cuando era más joven tuve el pelo largo y rizado y estuve más gorda.

....

8.5. **a. Completa con la forma verbal correcta:**

Marta y Fernando **(1)** *(conocerse)* .... un mes de junio y **(2)** *(casarse)* .... cinco meses después. **(3)** *(Ser)* .... una decisión repentina. A partir de entonces los preparativos **(4)** *(sucederse)* .... sin pausa: el papeleo, la búsqueda del piso, su puesta a punto, etc. y, durante unos meses, no **(5)** *(tener)* .... ni un minuto para pensar.

Unos días más tarde, **(6)** *(coger, ellos)* .... el tren que los **(7)** *(llevar)* .... a Lisboa a pasar su luna de miel. Marta no **(8)** *(parar)* .... de hablar durante la primera mitad del viaje hasta que **(9)** *(dormirse)* .... sobre el hombro de Fernando.

En Portugal, **(10)** *(ser)* .... la época de la revolución de abril. Los cafés inmensos, llenos de gente que **(11)** *(fumar)* .... sin parar, el trasiego de los periódicos que todo el mundo **(12)** *(leer)* .... con avidez en busca de noticias de un tiempo nuevo. Todo **(13)** *(parecer)* .... posible.

Adaptado de *Las historias de Marta y Fernando,* Gustavo Martín Garzo

b. **Une cada palabra con su definición. Fíjate en el texto:**

1. Papeleo •   • **a.** Enormes, muy grandes.

2. Búsqueda •   • **b.** Intercambio de materiales, mover las cosas de un lado a otro.

3. Inmensos •   • **c.** Deseo, ansia.

4. Trasiego •   • **d.** Acción de buscar.

5. Avidez •   • **e.** Trámites administrativos para resolver un asunto.

c. **Escribe el sustantivo de cada uno de los siguientes verbos con su artículo correspondiente. Puedes usar el diccionario:**

Ejemplo: Buscar: ...la búsqueda..

1. Conocer: ....
2. Decidir: ....
3. Pensar: ....
4. Parar: ....
5. Leer: ....

6. Informar: ....
7. Resolver: ....
8. Intercambiar: ....
9. Ansiar: ....
10. Desear: ....

8.6. **Completa el texto con los conectores que te damos a continuación:**

> **En 1958** • **En las elecciones de 1977** • **A partir de la muerte de** • **Hasta que** • **Diez años después de su nacimiento** • **Desde hace** • **Tras** • **Desde 1978... hasta** • **Desde entonces** • **En septiembre de 1982** • **Después de**

(1) ......En 1958......, un grupo de jóvenes se separó del Partido Nacionalista Vasco (PNV) y creó la Euskadi eta Askatasuna (ETA), un grupo político que defendía el independentismo, las posiciones radicales en la estrategia política y el recurso a las armas si era necesario. ETA se definía antifranquista y antiespañola porque creía que la desaparición del franquismo no significaba necesariamente la libertad de Euskal Herria.

(2) .... la Vª Asamblea de ETA, en 1968, **(3)** ...., la banda cometió su primeros crímenes contra guardias y policías.

(4) .... Franco, las acciones violentas de ETA empezaron a ser condenadas por todas las fuerzas políticas.

(5) .... la dictadura, ETA se dividió en dos: ETA político militar (ETA-pm) y ETA militar (ETA-m).

(6) .... , una parte de ETA-pm abandonó la lucha armada y entró a formar parte del partido de izquierdas Euskadiko Ezkerra (EE), que obtuvo un escaño, mientras el resto de la organización siguió como brazo armado del partido. **(7)** ...., la distancia entre ETA-pm y EE aumentó, la primera perdió fuerza **(8)** .... desapareció **(9)** ....

(10) .... más de treinta años, ETA militar asesina a periodistas, simpatizantes del PNV, militares, políticos, niños, amas de casa. **(11)** .... y .... que el gobierno lo ilegalizó en el 2003, Herri Batasuna (HB) fue el brazo político de ETA.

Texto adaptado de la página web: http://www.vespito.net/historia/transi/vascft.html

Unidad 9

9.1. **Completa con indefinido, imperfecto o perfecto según convenga:**

Ejemplo: *Hoy* **he visto** *a tu hermano y* **estaba** *muy guapo.*

1. Mi sobrino *(nacer)* .... hace tres años y de bebé *(ser)* .... tan grande que *(parecer)* .... mayor de lo que *(ser)* ....

2. Nunca *(ir, yo)* .... a ningún país extranjero. El año pasado *(querer, yo)* .... ir a Brasil, pero al final no *(poder, yo)* .... por motivos de trabajo.

3. Hoy *(tener, yo)* .... un día horrible: *(perder, yo)* .... el autobús, *(ir, yo)* .... al dentista y *(caerse, yo)* .... al salir de la consulta; además, como *(llover)* .... mucho y no *(llevar, yo)* .... paraguas *(mojarse, yo)* .... entero.

4. Ayer *(ver, yo)* .... a Nina en el Rastro mientras ella *(comprar)* .... una chaqueta de cuero de segunda mano muy bonita. Yo *(estar, tomando)* .... una caña con Rodrigo así que la *(llamar, nosotros)* ...., *(sentarse, ella)* .... con nosotros y entonces *(aparecer)* .... Hugo. Al final *(irse, nosotros)* .... a comer todos juntos a casa de Nina.

5. El domingo *(estar, nosotros)* .... tan cansados que no *(salir, nosotros)* ...., aunque Pedro *(tener)* .... muchas ganas de ir a tomar algo y yo *(querer)* .... ir a ver la última película de Almodóvar. Al final, *(quedarse, nosotros)* .... en casa y no *(hacer, nosotros)* .... nada especial.

6. Cuando *(ser, él)* .... adolescente *(tener, él)* .... un carácter insoportable, pero cuando *(crecer, él)* .... *(volverse, él)* .... mucho más tranquilo y *(empezar, él)* .... a colaborar en una ONG.

7. Mis primos *(tener)* .... un accidente muy grave hace dos años. Mi primo mayor *(conducir)* .... y no *(hacerse)* .... nada, pero el pequeño *(sufrir)* .... lesiones graves.

8. Úrsula y Roberto *(estar, pensando)* .... comprarse una casa pero, al final, como todas *(ser)* .... demasiado caras, *(decidir)* .... alquilar una porque no *(poder)* .... pagar una hipoteca. Por suerte, *(encontrar)* .... un piso muy barato en Legazpi y cuando los *(ver, yo)* .... el otro día, *(estar, ellos)* .... muy contentos.

9. Hace dos años Yasmina *(cambiar)* .... de trabajo porque no *(ganar)* .... mucho.

10. El mes pasado nosotros *(tener)* .... problemas con los vecinos de arriba porque *(hacer)* .... mucho ruido por las noches: *(encender)* .... la tele de madrugada, *(hablar)* .... a gritos y *(poner)* .... la música a todo gas.

11. Hace un mes, después de vivir muchos años en el extranjero, Camila *(regresar)* .... a casa porque su madre la *(necesitar)* ....

12. ▷ ¿*(Saber, tú)* .... que me quiero comprar un coche?
    ► Pues no. Es una pena porque mi amigo Vicente *(vender)* ....el suyo justo esta semana y *(estar)* .... casi nuevo.

13. ▷ Matilde y tú antes *(tener)* .... un perro, ¿verdad?

▶ Sí, *(llamarse, él)* .... Rigor, pero *(morirse)* .... el año pasado.

14. Yago *(estar)* .... de baja todo el mes pasado porque *(coger)* .... la gripe y *(ponerse)* .... malísimo. *(Tener)* .... que estar en cama dos semanas enteras. El otro día lo *(llamar, yo)* .... para saber cómo *(encontrarse, él)* .... y me *(decir, él)* .... que *(estar)* .... mejor.

15. Yo no *(visitar)* .... a Claudia desde que *(mudarse, ella)* .... pero es que todavía no me *(invitar)* ...., aunque *(hacer, yo)* .... mucho por ella.

16. Alejandro y yo *(separarse)* .... hace un mes porque *(ser)* .... muy distintos, *(gustar, a nosotros)* .... cosas diferentes. Pero *(quedar)* .... como amigos.

17. Fabio *(cambiar)* .... mucho últimamente, no sé qué *(pasar, a él)* .... Antes *(quedar, él)* .... con los amigos, *(salir, él)* .... a menudo, me *(llamar, él)* .... casi todos los días, pero desde hace algún tiempo *(encerrarse, él)* .... en sí mismo. Estoy preocupada.

18. El martes cuando *(cruzar, yo)* .... un paso de peatones, me *(atropellar)* .... un coche. No *(ser)* .... grave, pero *(asustarse, yo)* .... mucho.

19. Chechu *(dejar)* .... los estudios esta semana porque *(estar)* .... estresado, no *(poder)* .... con todo, siempre *(ir)* .... al trabajo dormido y no *(aprobar)* .... los exámenes.

20. Belén y yo *(estudiar)* .... juntas durante seis años en la universidad pero no *(conocerse)* .... hasta mucho después de terminar la carrera cuando *(coincidir)* .... en un viaje a Londres.

9.2. **Unos personajes nos cuentan algunas anécdotas. Completa los espacios con los tiempos del pasado adecuados:**

1. Pues nada, que *(esperar, yo)* .... a Carlos y, no te lo vas a creer, pero *(encontrarse)* .... con mi ex. Y justo cuando *(hablar)* .... con él, y riéndome, *(aparecer)* .... Carlos con un ramo de flores. Y cuando *(ver, a mí)* .... riéndome, *(cabrearse)* .... mucho y ahora no me habla.

2. Anteayer *(pasarlo, yo)* .... en grande. Mis amigos me *(hacer)* .... una fiesta sorpresa para mi cumpleaños. *(Volver)* .... a casa cuando me *(llamar)* .... Sonia para decirme que *(tener, ella)* .... que hablar conmigo urgentemente y que me *(esperar, ella)* .... en su casa. Cuando *(llegar, yo)* ...., todos mis amigos me *(esperar)* .... ¡Qué sorpresa! La fiesta *(acabar)* .... a las siete de la mañana. Al día siguiente *(dormir)* .... todo el día.

3. El año pasado cuando *(estar, nosotros)* .... en Praga, *(hacer)* .... mucho frío durante toda la semana. Un día *(caminar, yo)* .... y, de repente, *(sentir, yo)* .... que mis pies *(estar)* .... tan congelados que *(tener, nosotros)* .... que entrar en un restaurante porque no *(poder, yo)* .... caminar más. ¡Qué mal que *(pasarlo, yo)* ....!

4. ▷ ¿Cómo *(romperse)* .... esa silla?

▶ ¿No te acuerdas? *(Ser)* .... hace dos años. *(Estar)* .... reunidas nosotras con mis padres y Alejo. Entonces, cuando Alejo *(sentarse)* ...., la pata de la silla *(romperse)* .... y él *(caerse)* .... de culo. *(Reírse, nosotros)* .... muchísimo. *(Ser)* .... tan divertido. Para colmo, cuando *(levantarse)* ...., *(torcerse)* .... el pie. ¡Pobre Alejo! ¡Es tan patoso!

5. ¿Alguna vez (contar, a ti) .... que hace un año (tener, nosotros) .... un accidente de coche? Pues sí, (llover) .... y, mientras (frenar, yo) ...., el coche (derrapar) .... Por suerte, no (pasarnos) .... nada, pero (darse, yo) .... un susto tan grande que (llorar, yo) .... durante toda la tarde.

9.3. **Corrige el error de los tiempos verbales de pasado si es necesario:**

1. La semana pasada no te llamamos porque no estábamos en la ciudad.
   ....

2. Esta mañana me he mareado porque hizo mucho calor.
   ....

3. Mi hermana se casó con un hombre que fue de Perú y dos años después se divorciaron.
   ....

4. En el año 2004 los terroristas hicieron una masacre en la estación de Atocha en Madrid. Las imágenes de televisión eran terribles.
   ....

5. No he conocido nunca a nadie tan simpático como él.
   ....

6. Empezaba a llover mientras yo estaba esperando el tren en la estación.
   ....

7. El alcalde saludó desde el balcón a los ciudadanos que le aplaudían entusiasmados.
   ....

8. Como no tuve muchas ganas, no acompañé a Iván al mercado.
   ....

9. Ya he visitado la feria. Estuve ayer y había muchas obras de arte expuestas.
   ....

10. Solo recibí una carta de amor en toda mi vida.
    ....

9.4. **Completa esta noticia de periódico con indefinido, imperfecto o perfecto según convenga:**

GOLPEÓ A UN HOMBRE PORQUE "HABLABA DEMASIADO" EN UNA CABINA TELEFÓNICA

El pasado martes **(1)** (ser, él) .... puesto a disposición judicial un fontanero aragonés de 35 años.

Según fuentes judiciales, el detenido **(2)** (arremeter, él) .... contra un individuo que **(3)** (encontrarse, él) .... hablando en una cabina y le **(4)** (producir, él) .... heridas leves en la cabeza. Al parecer, el agresor **(5)** (pretender) .... llamar a su familia para comunicarles el fallecimiento de un familiar, pero tras una hora de espera no **(6)** (poder, él) .... aguantar más, **(7)** (intentar, él) .... hablar con el agredido y ante su indiferencia lo **(8)** (golpear, él) .... varias veces con el puño. La víctima todavía no **(9)** (hacer) .... declaraciones, pero hasta esta misma mañana **(10)** (estar) .... ingresado en el hospital 12 de octubre y los médicos le **(11)** (dar) .... de alta a las 3 de esta misma tarde.

Intenta tú ahora escribir alguna noticia con los siguientes titulares:

- Encuentran en plena calle un corazón abandonado.
- Un bailaor flamenco captura con un plátano a un mono escapado de un zoo.
- Un gato oculto en el motor pone en marcha un coche.

9.5. **Une cada titular con su noticia:**

1. Vivió tres semanas en un cibercafé. .... ☐
2. "El Gran Marrano". .... ☐
3. Un cura se opone al uso de móviles. .... ☐
4. Estudian insectos espía y soldados "invisibles". .... ☐

A El Comando de Operaciones Especiales de las fuerzas armadas norteamericanas pidió a los principales científicos la creación de una serie de sistemas tecnológicos de última generación capaces de hacer invencibles a los soldados del futuro. El futuro equipamiento de los soldados, que se va a concretar en torno al 2020, prevé trajes que hacen invisibles a las personas que los usan, insectos robot que espían al enemigo, cascos con pantallas en tres dimensiones, y píldoras "contra todo": el cansancio, el estrés, el sueño, el hambre.

B La semana pasada, el párroco de Moratra, Alicante (España), Francisco Llops, aceptó instalar un inhibidor de teléfonos móviles en la iglesia de la localidad que le permite al clérigo oficiar su misa en paz y sin interrupciones, según informó Notimex. La iniciativa de instalar el aparato fue de un feligrés fastidiado por el constante sonar de los teléfonos móviles en la iglesia y que le impedían al párroco comunicarse con su congregación.

C Un ciudadano residente en Corea del Sur fue arrestado el pasado mes de noviembre después de haber vivido, literalmente, más de 20 días en un cibercafé del país oriental. Desde el 29 de noviembre al 18 de diciembre, este individuo no se separó de la pantalla del ordenador ni un solo momento, excepto para comprar fideos (suponemos que su comida favorita) e ir al baño. El dueño del cibercafé confesó sentirse extrañado al contemplar cómo la factura del ciudadano ascendía a 450 000 wones (unos 365 euros). El propietario del local llamó a la policía, que se llevó al coreano. Según un portavoz del cuerpo de seguridad el hombre se encontraba "en un estado deplorable y con un olor terrible".

D El granjero vizcaíno Aitor Solozábal, de 41 años, ha colocado 'webcams' en su granja para poder observar el comportamiento de sus vacas, cerdos y gallinas en tiempo real a través de 'Granja-Familiar.com'. Aitor Solozábal puso en marcha la 'web' de la granja en julio y, desde entonces, ha recibido 31 000 visitas.

(Noticias extraídas de la revista de humor *El jueves*)

9.6. **Aquí tienes un texto en presente, intenta escribirlo de nuevo, esta vez en pasado:**

Me levanto a las ocho, me hago un café, me ducho y me visto; salgo de casa a las ocho y media, tardo cuarenta minutos en llegar a clase, en el autobús voy leyendo aunque no muy bien porque está lleno de gente. Estoy en la facultad desde las nueve y media hasta las dos, pero no voy a todas las clases porque estoy cansada. Después, Helena y yo comemos en un bar cercano que es muy barato y más tarde tomamos un café en la cafetería Donato. Llamamos a Vera porque queremos verla pero no está en casa. Mientras damos un paseo, Helena me comenta que está trabajando los domingos como guía turística, que le gusta mucho y que los turistas son muy simpáticos con ella. Yo le digo que estoy muy ocupada con la obra de teatro que estamos montando y que estudio el papel por las noches y ensayo los sábados.

Volvemos a llamar a Vera pero no podemos localizarla. Decidimos ir al cine, pero la película no es muy buena; no nos gusta. A las nueve vuelvo a casa, pero como hay mucho tráfico llego muy tarde. Ceno con mi hermano, que está muy hablador, y me dice que va a ir a un concierto de un grupo que le gusta mucho. Poco después, me lavo los dientes y me acuesto pronto porque tengo mucho sueño. Leo un poco, pero enseguida apago la luz y me duermo.

El lunes de la semana pasada...

9.7. A continuación te presentamos una fábula adaptada del escritor guatemalteco Augusto Monterroso (1921-2003) que se titula: "La rana que quería ser una rana auténtica".

a. Ordena el texto:

☐ ☐ ☐ ☐ ☐

1 Y así siguió haciendo esfuerzos hasta que, dispuesta a cualquier cosa para lograr ser considerada una rana auténtica, se dejó arrancar las ancas, y los otros se las comieron, y ella todavía alcanzó a oír con amargura que qué buena rana, que parecía pollo.

2 Por fin pensó que la única forma de conocer su propio valor estaba en la opinión de la gente, y comenzó a peinarse y a vestirse y a desvestirse para saber si los demás la aprobaban y reconocían que era una rana auténtica.

3 Al principio se compró un espejo en el que se miraba largamente buscando su ansiada autenticidad. Unas veces parecía encontrarla y otras no, según el humor de ese día o de la hora, hasta que se cansó de esto y guardó el espejo en un baúl.

4 Un día observó que lo que más admiraban de ella era su cuerpo, especialmente sus patas, de manera que se dedicó a hacer sentadillas y a saltar para tener unas ancas cada vez mejores, y sentía que todos la aplaudían.

5 Había una vez una rana que quería ser una rana auténtica, y todos los días se esforzaba en ello.

b. Une cada palabra con su definición:

1. Lograr.　　　•
2. Ancas.　　　•
3. Baúl.　　　•
4. Hacer sentadillas.　•
5. Aplaudir.　　•

　　• **a.** Mueble para guardar generalmente ropa.
　　• **b.** Conseguir.
　　• **c.** Patas de rana.
　　• **d.** Golpear una mano contra la otra en señal de entusiasmo o aprobación.
　　• **e.** Ejercicio que consiste en bajar el cuerpo en posición de estar sentado.

Unidad 10

10.1. **Completa las siguientes frases con la forma correcta del futuro imperfecto:**

Ejemplo: *Seguramente **iré** a Egipto el próximo verano.*

1. Te aseguro que Bárbara no *(decir)* .... nada y *(guardar)* .... el secreto.

2. Imagino que este año Beto y yo *(volver)* .... a Oporto de vacaciones.

3. No sé cuando *(poder, yo)* .... ir a visitarte pero creo que *(ir, yo)* .... en Semana Santa.

4. Aproximadamente *(haber)* .... quinientos alumnos en este instituto y solo unos 100 *(estudiar)* .... en la universidad.

5. Mañana *(llover)* .... en la mitad norte mientras que la mitad sur *(disfrutar)* .... de un día soleado.

6. Si podemos coger unos días *(viajar)* .... a algún país nórdico. ¡Estamos hartos de este calor!

7. Te juro que no *(saber, él)* .... lo que ha sucedido, no se lo *(contar, yo)* ....

8. Un día de estos *(coger, yo)* .... mis maletas y lo *(dejar, yo)* .... todo.

9. Si a Amaro le dan la beca *(tener, él)* .... que ahorrar para poder vivir en Estocolmo. ¡Es muy caro!

10. Esta casa *(tener)* ...., más o menos, 90 metros y no es muy cara, si todavía no la han alquilado *(quedársela, yo)* ....

11. Mamá, te prometo que *(ser, nosotros)* .... buenos en tu ausencia, no *(romper, nosotros)* .... nada y *(cuidar, nosotros)* .... del gato.

12. *(Salir, tú)* .... el fin de semana, ¿verdad? Creo que *(venir, a ti)* .... bien después de los exámenes.

13. No sé si Melisa *(poder)* .... acompañarnos al viaje pero hasta entonces estoy segura de que *(ahorrar)* .... todo lo posible.

14. Javi y Julia *(tener)* .... 30 años o así, no estoy seguro, pero parecen más jóvenes.

15. No sé dónde *(estar)* .... Gorka e Irune, dijeron que iban a estar aquí a las 9 y ya son y media, supongo que *(venir)* .... de camino.

16. Vosotros *(ser)* .... los próximos en casaros y *(tener)* .... al menos tres hijos, aunque ahora decís que no.

17. El próximo fin de semana *(ser)* .... caluroso, las temperaturas no *(bajar)* .... de los 30 grados y *(hacer)* .... sol en toda la península.

18. La semana que viene *(ser)* .... fantástica para los nacidos en acuario: *(realizar)* .... viajes imprevistos, *(conocer)* .... personas interesantes y *(hacer)* .... realidad sus sueños.

19. Si no tengo suerte esta vez no *(jugar)* .... más a la lotería, no *(volver)* .... a comprar un décimo.

20. No sé si Ángela *(querer)* .... dejarme su casa de la playa este puente pero *(preguntárselo, yo)* .... de todas formas.

21. ¿Qué *(poner, ellos)* .... en la tele esta noche? Si hay una buena película *(quedarse, yo)* .... en casa, no *(salir, yo)* ....

22. Me imagino que ese mueble *(ser)* .... caro porque es antiguo, *(valer)* .... unos 600 euros.

23. Seguro que a la vuelta *(haber)* .... atasco y *(tardar, nosotros)* .... más de dos horas en llegar a casa.

24. Creo que no *(caber)* .... todo en el maletero, *(tener, nosotros)* .... que volver a subir.

25. No *(poder, nosotros)* .... saber los resultados hasta esta noche, así que *(estar, nosotros)* .... nerviosos todo el día.

10.2. **Corrige estas frases si es necesario:**

Ejemplo: Si ~~tendré~~ tiempo me pasaré por tu casa.

.... Si **tengo** tiempo me pasaré por tu casa. ....

1. Iré a verte si puedo, pero no estoy seguro.

....

2. Imagino que Concha no tendrás problemas en su nuevo trabajo. Es muy eficiente.

....

3. No sé si Mauricio querré venir al cine con nosotros porque está muy ocupado.

....

4. Narciso y yo no podremos cambiar de casa hasta dentro de un año por lo menos.

....

5. Te juro que Luisa no ha hecho eso, es incapaz de hacer algo así.

....

6. Tranquilo, que no habrá problemas durante tu viaje, todo está controlado.

....

7. Supongo que ni Luis ni Antonio viene a mi fiesta después de lo que pasó.

....

8. No haré nada que moleste a tu hermano, te lo prometo.

....

9. Si consigo reunir suficiente dinero irá el verano al Caribe, lo pasaré genial.

....

10. Seguro que vosotros no diremos ninguna mentira, confío en los dos.

....

11. Mis padres irán a Francia la semana que viene si no hay ningún contratiempo.

....

12. ¿Sabrás Paulina lo que está pasando? Yo creo que no.

....

13. Me temo que tendrás que empezar a trabajar pronto pero no me apetece.

....

14. Si estudiaré, seguro que apruebo.

....

15. Tú no tendrás que hablar, lo dirá todo yo.
....

16. Han dicho por la radio que mañana lloverá todo el día y habrán tormentas.
....

17. Si viene Jorge, nos reiremos mucho porque es divertidísimo.
....

18. Ya verás, comeremos estupendamente en ese restaurante y, encima, es barato.
....

19. Paula tendrá unos 29 años más o menos. No estoy segura.
....

20. Creo que me ponen buena nota en el examen, lo he hecho fenomenal.
....

21. No sé, pero el billete valdremos unos 90 euros más o menos.
....

22. Si llegaré tarde, os vais sin mí; no pasa nada.
....

23. Supongo que Reina estará preocupada con todo lo que está pasando en el trabajo.
....

24. Será la mejor fiesta de las que he hecho, no cabré todos a los que he invitado.
....

25. Te prometo que haré lo posible en el asunto de Bermejo y todo saldrá bien.
....

26. Se calcula que habrá 50 incendios en todo el país este verano.
....

27. Si mi padre se jubila pronto, piensa dedicarse a la pesca los fines de semana.
....

28. Creo que mis amigos saldremos de Málaga mañana y estarán aquí por la noche.
....

29. Si les digo a mis padres que quiero ser cantante, no sé qué me dirán.
....

30. Tendré que ponerme a trabajar si querré comprarme el coche.
....

31. Chema no sabe si podrá pasar de curso porque ha suspendido tres.
....

32. Ni Amancio ni tú tendréis que devolverme el dinero, tranquilos.
....

33. Los aries serán muy felices esta semana y ganarán más dinero del previsto.
....

34. Un día de estos saldrás por esa puerta y no me volveréis a ver.
....

35. Creo que Loli vendrá a vernos cinco días en abril.
....

36. Si Yuri tendrá suerte, lo hacen fijo en el trabajo. Se lo dicen hoy.

....

37. Victoria cree que terminará la carrera este año.

....

38. Si Salva y tú queréis, podéis venir con nosotros.

....

39. Mafalda supone que Cris está enfadada con ella, pero no sabrá porqué.

....

40. El viernes hará un día estupendo según las noticias, así que podremos ir de excursión.

....

10.3. **Completa la tabla con el infinitivo y el presente (en la misma persona):**

Futuro	Infinitivo	Presente
1. **Pondremos**	Poner	Ponemos
2. **Tendré**		
3. **Valdrá**		
4. **Diréis**		
5. **Podrán**		
6. **Sabremos**		
7. **Vendrás**		
8. **Saldremos**		
9. **Haré**		
10. **Cabrán**		
11. **Pondré**		
12. **Querremos**		
13. **Habrá**		
14. **Diremos**		
15. **Vendré**		

10.4. **Completa con el verbo en la forma correcta, presente, pasado o futuro:**

1. ▷ ¿Dónde está Pepe?
▶ *(Estar)* .... en casa de sus padres. He hablado con él hace cinco minutos.

2. ▷ ¿Quién está cantando?
▶ *(Parecer, a mí)* .... que *(ser)* .... mi hermana.

3. ▷ ¿Quién crees que va a ganar el partido?
▶ No lo sé, pero supongo que *(ganar)* .... el Barça.

4. ▷ Todavía no me ha llamado Juanjo.
▶ Tranquila, *(llamar)* .... más tarde.

5. ▷ ¿Cómo crees que serán los coches en el futuro?
▶ Supongo que no *(utilizar)* .... gasolina.
▷ Yo creo que *(valer)* .... mucho dinero.

6. ▷ ¿A qué hora llegan Imma y Javi?

► Me imagino que *(estar)* .... a punto de llegar.

7. ▷ ¿Qué hora es?

► No tengo reloj, pero *(ser)* .... las diez.

8. ▷ ¿Cuántos años tiene el novio de Clara?

► No sé, *(tener)* .... alrededor de cincuenta, ¿no crees?

9. ▷ ¿Quién ha dejado ese plato ahí?

► *(Ser)* .... Pablo esta mañana. No ha querido llevarlo a la cocina.

10. ▷ ¡Qué raro! Julián me ha visto hace un rato y no me ha felicitado.

► No *(saber, él)* .... que hoy *(ser)* .... tu cumpleaños.

11. ▷ ¿Por qué no vienes?

► Si *(ir)* ...., no *(poder)* .... acabar los deberes y el profesor *(enfadarse)* .... mucho.

12. ▷ ¿Qué te pasa, Claudia?

► Estoy muy enfadada. Samuel me ha dejado plantada. *(Irse, yo)* ...., si no *(llegar, él)* .... en cinco minutos.

13. Normalmente si *(comer, yo)* .... chocolate, *(doler, a mí)* .... el estómago.

10.5 **a. Lee la siguiente fábula de Félix María Samaniego y completa los espacios vacíos con el verbo conjugado en futuro imperfecto:**

El cuento de la lechera

Érase una vez una lechera que llevaba en la cabeza un cántaro con leche al mercado.
Caminaba con presteza, e iba diciendo en voz alta: «¡Yo sí que estoy contenta con mi suerte!».
Caminaba sola la feliz lechera, y decía de esta manera: «Esta leche vendida, en limpio me
(1) *(dar)* .... mucho dinero, y con él, **(2)** *(comprar, yo)* .... un canasto de hue-
5 vos para sacar cien pollos, que al estío me **(3)** *(rodear, ellos)* .... cantando el pío, pío.
Del importe obtenido de tanto pollo **(4)** *(invertir)* .... en un cochino que con castañas
y berzas **(5)** *(engordar, él)* .... sin tino y la barriga le **(6)** *(crecer)* .... mucho.
Lo **(7)** *(llevar, yo)* .... al mercado, **(8)** *(sacar)* .... de él buen dinero;
(9) *(comprar, yo)* .... al contado una robusta vaca y un ternero, que **(10)** *(saltar,
10 ellos)* .... y **(11)** *(correr, ellos)* .... por todo el monte.»
Con este pensamiento enajenada, iba saltando la joven lechera cuando, de repente, el cántaro
se cayó. ¡Pobre lechera!
¡Qué compasión!
Adiós leche, dinero, huevos, pollos, vaca y ternero.
15 ¡Oh, loca fantasía!
¡Qué palacios construyes en el viento! (...)

Texto adaptado

b. Todas las fábulas acaban con una moraleja, una pequeña lección. Nosotros hemos recortado el final de *El cuento de la lechera*, pero, ¿cuál crees que es su moraleja?

    1. No hay que tener demasiadas ilusiones. .... ☐

    2. El futuro es algo incierto, por eso hay que ser cuidadoso. ..☐

    3. Hay que ser ambicioso, pero no mucho. .... ☐

c. Une cada palabra con su definición o sinónimo:

1. Cántaro. •
2. Presteza. •
3. En limpio. •
4. Canasto. •
5. Barriga. •
6. Enajenada. •
7. Sin tino. •
8. Estío. •
9. Cochino. •
10. Berza. •

• a. Cerdo.
• b. Dinero neto, descontando impuestos.
• c. Distraída, pensando en otras cosas.
• d. Rapidez, agilidad.
• e. Col.
• f. Cesta.
• g. Tripa, panza.
• h. Verano.
• i. Vasija para llevar el agua u otro líquido.
• j. Sin control, sin medida.

d. En esta fábula aparecen algunos nombres de animales. Vamos a ampliar ese listado. ¿Puedes completar las siguientes palabras con las letras que faltan? Si lo consigues, tendrás el nombre de diez animales más.

1. T ⬜ ⬜ O
2. J ⬜ ⬜ ⬜ F ⬜
3. T ⬜ ⬜ T ⬜ ⬜ ⬜
4. D ⬜ L ⬜ ⬜ ⬜
5. B ⬜ ⬜ ⬜ ⬜ N ⬜

6. T ⬜ B ⬜ ⬜ ⬜ ⬜
7. L ⬜ R ⬜
8. R ⬜ ⬜ ⬜ N
8. Y ⬜ G ⬜ ⬜
10. C ⬜ ⬜ ⬜ J ⬜

e. ¿Sabes qué es una onomatopeya? Se trata de la imitación del sonido de una cosa o ser.

Ejemplo: *Los pájaros hacen **pío, pío**.*

Une cada onomatopeya al animal u objeto que hace ese sonido:

1. Vaca •
2. Perro •
3. Gato •
4. Serpiente •
5. Pato •
6. Beso •
7. Campana, cencerro •
8. Timbre •
9. Estornudo •
10. Gallo •
11. Reloj •
12. Grillo •
13. Explosión, golpe •
14. Oveja •

• a. Cuac, cuac
• b. Muac
• c. Muuuuuu
• d. Tolón, tolón
• e. Guau, guau
• f. Miau
• g. Quiquiriquí
• h. Psttt
• i. Achís
• j. Din, don
• k. Beeee
• l. Pum
• m. Tic, tac
• n. Cri, cri

Unidad 11

11.1. **Completa con la forma correcta de condicional simple e identifica qué función del condicional se realiza en cada una (cortesía, consejo, deseo o probablidad):**

Ejemplo: **Me gustaría** *salir de la ciudad algunos días.*

➡ ..Expresión.de.deseo..

1. ¿*(Traer, usted, a nosotros)* .... la carta de postres, por favor?

➡ ....

2. Yo que tú *(irse)* .... al campo y *(desconectar)* .... de todo por un tiempo. Así no puedes seguir.

➡ ....

3. ▷ ¿A qué hora llegasteis a Lleida?

▶ No sé, *(ser)* .... las diez y media u once, no me acuerdo bien.

➡ ....

4. ¿*(Importar, a usted)* .... abrir la ventana? Tengo mucho calor.

➡ ....

5. ¿Me *(acercar, tú)* .... el pan?, es que no llego.

➡ ....

6. Yo *(venir)* .... todas las semanas a esquiar, pero es demasiado caro.

➡ ....

7. No sé cuantos éramos en la manifestación, pero *(ser)* .... unas cinco mil personas, por lo menos.

➡ ....

8. ¿*(Poder, usted)* .... traernos la cuenta?

➡ ....

9. ▷ ¡Qué guapa estaba tu tía en esa foto! ¿Quién era ese?

▶ *(Ser)* .... su ligue, cambiaba tan rápido de chico que no nos daba tiempo de conocerlos a todos.

➡ ....

10. *(Deber, tú)* .... tranquilizarte y no darle mayor importancia, ten en cuenta que Jaime es así.

➡ ....

11. Yo en tu lugar *(hablar)* .... con él y *(arreglar)* .... las cosas de una vez.

➡ ....

12. ¿*(Molestar, a ti)* .... responder al teléfono? Estoy cocinando.

➡ ....

13. ▷ ¿Cuánto te costó esa camisa? Es preciosa.

▶ No me acuerdo, *(valer)* .... unos 20 euros; no era muy cara.

➡ ....

14. Si yo fuera tú, le *(decir)* .... que sí, es una oferta estupenda.
    ➡ ....

15. *(Tener, tú)* .... que cortarte el pelo, estás más guapa cuando lo llevas corto.
    ➡ ....

16. ¿Me *(dejar, tú)* .... el abrigo rojo esta noche? Es que me encanta.
    ➡ ....

17. Yo *(volver)* .... con Ricardo, está loco por ti, le *(dar)* .... una oportunidad.
    ➡ ....

18. A mis padres *(encantar)* .... cenar con vosotros algún día.
    ➡ ....

19. ¿*(Importar, a ustedes)* .... cambiar de mesa? Es que nosotros somos muchos y no cabemos en esta.
    ➡ ....

20. *(Deber, usted)* .... fumar menos, *(ser, ello)* .... bueno para su salud.
    ➡ ....

21. *(Deber, vosotros)* .... dedicaros al diseño de moda, tenéis ideas muy originales, seguro que *(tener)* .... mucho éxito vuestra ropa.
    ➡ ....

22. A Carmelo *(entusiasmar)* .... venir con nosotros a Nueva York, pero no tiene vacaciones.
    ➡ ....

23. Cuando nos conocimos *(tener)* .... unos quince años y *(ser)* .... por primavera porque recuerdo que hacía buen tiempo.
    ➡ ....

24. Era un plato riquísimo; no sé lo que llevaba, pero pienso que *(llevar)* .... algo de romero, *(tener)* .... también cominos y cilantro, no sé pero era delicioso.
    ➡ ....

25. ▷ ¿Qué *(pasar)* .... ayer entre Alfredo y Víctor?
    ► No sé, *(ser)* .... una de sus peleas de siempre, seguro que Víctor *(decir)* .... algo fuera de lugar y Alfredo *(enfadarse)* ....
    ➡ ....

11.2. **Intenta volver a escribir estas frases en un registro más formal utilizando el condicional simple:**

Ejemplo: ¿Puede pasarme la sal, por favor?
    ¿**Podría** pasarme la sal, por favor?

1. ¿Tiene la amabilidad de dejarme pasar?
   ....

2. ¿Le importa si cojo el azucarero?
   ....

3. ¿Te molesta bajar el volumen de la tele?
   ....

4. ¿Puedo coger el periódico, por favor?
   ....

5. ¿Sabe a qué hora sale el tren?

....

6. ¿Tiene algo para quitar esta mancha de la camisa?

....

7. ¿Tienes algo de comer? ¡Me muero de hambre!

....

8. Dame una manzana, me apetece.

....

9. Ponme otro plato, está buenísimo.

....

10. ¿Me trae la cuenta, por favor?

....

11. ¿Te importa cerrar la ventana? Tengo frío.

....

12. ¿Puede decirme cómo se llama esta calle?

....

13. ¿Sabe dónde está el metro más cercano?

....

14. Déjame algo de dinero, no tengo un duro.

....

15. ¿Puedes darme información sobre los autobuses a Valencia?

....

16. Préstame el bolígrafo para anotar un teléfono.

....

17. ¿Te importa dejar de fumar?

....

18. Pásame la carta, no sé qué pedir.

....

19. ¿Puede decirme la hora, por favor?

....

20. ¿Quiere abrir la ventana, por favor?

....

11.3. a. **Transforma estas formas de futuro imperfecto en condicional simple:**

Futuro imperfecto	Condicional	Futuro imperfecto	Condicional
Ejemplo: Comeré	Comería	5. Haré	....
1. Saldrán	....	6. Dirán	....
2. Habrá	....	7. Valdrá	....
3. Dormiréis	....	8. Sabrás	....
4. Viviremos	....	9. Pensaremos	....

Futuro imperfecto	Condicional	Futuro imperfecto	Condicional
10. Cabrá	....	16. Estaré	....
11. Querréis	....	17. Estudiaréis	....
12. Tendrás	....	18. Vendrá	....
13. Volverás	....	19. Hablaremos	....
14. Cabremos	....	20. Pondré	....
15. Seremos	....		

b. **Ahora, identifica a qué persona pertenecen y haz un frase con cada forma de futuro y otra con cada forma del condicional:**

Ejemplo: Comeré .. Comería: 1.ª persona singular, yo ....
.... Si no tengo tiempo **comeré** más tarde. ....
.... **Comería** algo porque tengo hambre pero no tengo tiempo. ....

1. Saldrán ....
   ....
   ....

2. Habrá ....
   ....
   ....

3. Dormiréis ....
   ....
   ....

4. Viviremos ....
   ....
   ....

5. Haré ....
   ....
   ....

6. Dirán ....
   ....
   ....

7. Valdrá ....
   ....
   ....

8. Sabrás ....
   ....
   ....

9. Pensaremos ....
   ....

11.4. **Corrige el error si es necesario:**

Ejemplo: Yo que tú ~~dejarías~~ el trabajo y ~~buscarías~~ otra cosa.
.... Yo que tú **dejaría** el trabajo y **buscaría** otra cosa.

1. Anoche llegaremos más o menos a las 3, pero no lo recuerdo bien.
....

2. Cuando era adolescente creía que la vida será más fácil pero no es así.
....

3. Yo en tu lugar les diría cuatro verdades y no me preocuparía más.
....

4. ¿Podríamos venir a buscarme? Es que mi coche se ha estropeado.
....

5. No sé qué les pasará ayer pero estaban todos muy nerviosos.
....

6. ¿Les importarían acompañarme al salón? Gracias.
....

7. Nosotros tendrás que decidir de una vez cuál va a ser la línea de nuestra colección de verano.
....

8. No sé cuánto nos costó el hotel, pero serán unos 60 euros.
....

9. Deberías ir al médico, estás fatal.
....

10. Podríamos hacer una excursión este fin de semana, ¿verdad?
....

11. Nos encantaría volver a veros pronto.
....

12. No sé, vendrán a las 7 más o menos pero no miré la hora cuando llegaron.
....

13. ¿Qué hará Francisco ayer por la noche? Estuvo haciendo ruido hasta las tantas.
....

14. No nos dirán lo que sucedió hasta dentro de mucho tiempo.
....

15. Pensaba que reaccionarías de otra forma, me has sorprendido.
....

16. Yo que tú me aseguraría de lo que dices antes de hablar.
....

17. Me gustarías más con el pelo largo.
....

18. ¿Podría coger esta silla, por favor?
....

19. El sofá valdrán unos 1200 euros más o menos.
....

20. Saldré con vosotros esta noche, pero es que estoy muy cansada.
....

11.5. Une a cada persona con su deseo:

> Un mendigo • Un cura • Un hippie • Un don Juan • Una feminista •
> Una flor • Un niño • Un perro • Una bruja • Un médico

1. Me gustaría comer el hueso más grande del mundo. ....
2. Desearía tener más fieles en mi iglesia. ....
3. Me encantaría vivir en una montaña sin contaminación y
   ser la más hermosa de todas. ....
4. Me gustaría curar a todos los enfermos del mundo. ....
5. Me gustaría encontrar una mujer muy bella y enamorarme
   de una vez por todas. ....
6. Desearía cambiar de escoba. ¡La mía está tan vieja! ....
7. Me encantaría tener una casa con comida y dormir en una cama blanda. ....
8. Desearía acabar con las desigualdades de género. ....
9. Me gustaría estar jugando todo el día, no tener que ir a la escuela y
   no tener que comer sopa nunca más. ....
10. Desearía resucitar a John Lennon. ....

11.6. Completa los espacios con los verbos conjugados en condicional. Después, une cada consejo a su problema:

A. *(Deber)* .... ir al especialista.
B. Yo que tú lo *(dejar)* .... inmediatamente.
C. Yo en tu lugar le *(pedir)* .... dinero a tus padres o a algún amigo.
D. Yo *(golpear)* .... la pared o *(poner)* .... la tele muy alta mientras ellos duermen.
E. Yo que tú *(romper)* .... el ordenador.
F. *(Poder)* .... acudir a un psicólogo.
G. Yo que tú no *(preocuparse)* .... Los calvos son muy atractivos.
H. Yo *(buscar)* .... otro trabajo.
I. *(Tener)* .... que hablar con él y explicarle claramente tus objetivos en la vida.
J. Yo que tú los *(reunir)* .... a todos y les *(decir)* .... la verdad.

1. Me estoy muriendo de dolor de estómago. .... ☐
2. Desde hace un tiempo mi marido es adicto a Internet. .... ☐
3. Me he quedado sin trabajo y no sé cómo pagar el alquiler. .... ☐
4. Mi jefe me hace los días imposibles. Estoy muy estresada. .... ☐
5. Mi novio me ha sido infiel con mi mejor amiga. .... ☐
6. Mi novio quiere tener hijos y yo no sé cómo decirle que odio la idea. .... ☐
7. Mis vecinos me despiertan todas las noches. Ponen la música altísima a las tantas. .... ☐
8. Se me cae el pelo y estoy muy acomplejado. .... ☐
9. Soy homosexual pero ni mi familia ni mis amigos lo saben porque me da miedo decírselo. ☐
10. Tengo terribles pesadillas por las noches. No quiero irme a dormir. .... ☐

Unidad 12

12.1. Cambia las siguientes formas del imperativo afirmativo siguiendo el modelo:

	Tú	Usted	Vosotros	Ustedes
1.	Habla	Hable	Hablad	Hablen
2.				Lean
3.		Viva		
4.	Da			
5.			Mandad	
6.				Envíen
7.		Comprenda		
8.			Decidid	
9.	Contesta			
10.				Bailen
11.		Empiece		
12.				Comiencen
13.			Salid	
14.	Ven			
15.	Sigue			
16.			Volved	
17.				Digan
18.		Juegue		
19.	Piensa			
20.			Poned	

12.2. Completa con la forma correcta de imperativo afirmativo:

1. .... *(decir, tú)* la verdad, es mucho mejor.

2. .... *(comprar, vosotros)* 1 kilo de tomates si vais al supermercado.

3. .... *(comprender, usted)* que la situación es delicada.

4. .... *(poner, tú)* esas flores en un jarrón.

5. .... *(cerrar, vosotros)* la puerta al salir.

6. .... *(entender, ustedes)* que no podemos hacer lo que nos piden.

7. .... *(salir, tú)* fuera un rato y .... *(jugar, tú)* con tus amigos.

8. .... *(tener, tú)* en cuenta que tenemos poco dinero.

9. ¡ .... *(hacer, tú)* lo que te digo y .... *(venir, tú)* aquí!

10. .... *(saber, ustedes)* que desde ahora no se permitirá fumar aquí.

11. .... *(venir, usted)* a nuestro hotel y .... *(disfrutar, usted)*.

12. .... *(construir, usted)* su futuro desde hoy.

13. .... *(pensar, ustedes)* que pronto se pondrá bien.

14. .... *(vestirse, tú)* rápido o no llegarás a tiempo.

15. .... *(ducharse, tú)* más tarde, ahora voy yo que tengo prisa.

16. .... *(levantarse, vosotros)* que es tarde.

17. .... *(empezar, vosotros)* a estudiar si queréis aprobar.

18. .... *(pedir, tú, a mí)* una cerveza.

19. .... *(llamar, tú, a mí)* cuando llegues.

20. .... *(salir, ustedes)* despacio y sin empujar.

12.3. **Construye frases con las palabras dadas; utiliza para ello el imperativo afirmativo y sustituye el objeto directo y el indirecto por sus pronombres respectivos:**

Ejemplo: Dar, tú/ el regalo/ a Luis ..... Dáselo. ....

1. Comprar, tú/ flores/ a mis padres ....

2. Bailar, ustedes/ salsa ....

3. Decir, ustedes/ todo/ al juez ....

4. Pagar, vosotros/ la deuda/ a nosotros ....

5. Comerse, tú/ la manzana ....

6. Beberse, usted/ la bebida ....

7. Coger, tú/ mi chaqueta/ a mí ....

8. Devolver, usted/ la cartera/ a mí ....

9. Cambiar, vosotros/ el billete/ a nosotros .... :

10. Escribir, tú/ la carta/ a María ....

12.4. **Transforma las siguientes peticiones en órdenes:**

Ejemplo: ¿Me traerías mi chaqueta, por favor?
Tráeme mi chaqueta, por favor. ....

1. ¿Me darías un vaso de agua?
....

2. ¿Me pondrías esta película?
....

3. ¿Me diría dónde está Álvaro?
....

4. ¿Llamarías a Juan por mí?

....

5. ¿Podrían venir conmigo?

....

6. ¿Harían el favor de marcharse?

....

7. ¿Podría cerrar la puerta?

....

8. ¿Me pasarías el pan, por favor?

....

9. ¿Me ayudarías a subir esa caja?

....

10. ¿Me acercarías en coche a la estación?

....

12.5. **Cambia de imperativo afirmativo a negativo estos verbos:**

Ejemplo: ¡Calláos, por favor! .... No os calléis. ....

1. ¡Venid ya!	11. ¡Mentid menos!
2. ¡Tened cuidado!	12. ¡Pidan la cuenta!
3. ¡Date prisa!	13. ¡Calcule el presupuesto!
4. ¡Sal por aquí!	14. ¡Sea feliz!
5. ¡Poned la mesa!	15. ¡Ve despacio!
6. ¡Pensad en ello!	16. ¡Dime tu nombre!
7. ¡Haz esto!	17. ¡Sepa usted que...!
8. ¡Traigan la comida!	18. ¡Conoced nuestra ciudad!
9. ¡Empieza a hablar!	19. ¡Jugad al ajedrez!
10. ¡Contad hasta cien!	20. ¡Vuelvan pronto!

12.6. **Cambia las frases de imperativo afirmativo a imperativo negativo:**

Ejemplo: Mándamelo por e-mail.

.... **No me lo mandes** por e-mail. ....

1. El vestido comprádselo rojo.

....

2. Llévamelo a casa.

....

3. Sácalo a pasear solo dos veces al día.

....

4. El abrigo ponlo donde quieras.

....

5. Déjamelo a mí.

....

6. Salid del coche.

....

7. Háganlo de esa forma para no tener problemas.

....

8. Vaya allí para informarse.

....

9. Cójalo firmemente.

....

10. Tráigamelo.

....

12.7. **Construye frases utilizando los pronombres de O.D. y/ o O.I. y el imperativo negativo:**

Ejemplo: Leer, tú/ el periódico .... No lo leas. ....

   1. Hablar, tú/ a Luis ....

   2. Sacar, vosotros/ el perro ....

   3. Traer, ustedes/ los muebles/ a Pepa ....

   4. Llevar, tú/ disco/ a Miguel ....

   5. Subir, ustedes/ las escaleras ....

   6. Contar, vosotros/ el dinero ....

   7. Decir, ustedes/ la verdad/ a Bea ....

   8. Pedir, usted/ Las explicaciones/ al encargado ....

   9. Explicar, vosotros/ el problema/ a mí ....

  10. Decidir, vosotros/ el tema ....

12.8. **Corrige el error si es necesario:**

Ejemplo: ¡~~Hace~~ la salsa!

    ¡**Haz** la salsa! ....

1. Cógeme el abrigo, por favor.

....

2. Pásame el teléfono.

....

3. ¡Te calla un segundo!

....

4. No digame nada.

....

5. Comprobad que todo está bien.

....

6. Sentaos, por favor.

....

7. No lo me llevéis a clase, no lo necesito, gracias.

....

8. Quico, sale fuera un rato.

....

9. Te pone el abrigo que hace frío.

....

10. No vayáis allí, es peligroso.

....

12.9. **A continuación, te presentamos una guía de primeros auxilios:**

LO QUE DEBES HACER

1. Guardar siempre la calma.

2. Poner la herida bajo el agua fría durante unos 10 minutos.

3. Comprimir la herida durante 5 minutos.

4. Sacar a la persona al aire libre y no darle nada para beber.

5. Sacar el aguijón y poner hielo envuelto en una toalla para evitar el dolor y bajar la inflamación.

6. Ir al médico.

LO QUE NO DEBES HACER

1. Dejarte llevar por el pánico.

2. Tirar agua en un fuego de origen desconocido.

3. Mover a un herido que tiene un hueso roto.

4. Poner aceite o pasta de dientes sobre la quemadura.

5. Golpear a alguien que se ha tragado un objeto sólido.

6. Hacer vomitar a una persona con quemaduras en la boca.

7. Tocar a la víctima hasta cortar la corriente eléctrica.

Con esta guía de primeros auxilios, ofrece consejos a los siguientes problemas:

Ejemplo: Si estás en una situación de peligro, te aconsejo .....que no te dejes llevar por.......

el pánico y guardes la calma...

1. Si te pica un insecto, te aconsejo ....

....

2. Si un herido tiene el brazo roto, te recomiendo ....
....

3. Si te quemas, te sugiero ....
....

4. Si no sabes qué hacer, te aconsejo ....
....

5. Si hay alguien electrocutado, te recomiendo ....
....

6. Si alguien se ha tragado una moneda, te aconsejo ....
....

7. Si hay un incendio, te recomiendo ....
....

8. Si alguien se intoxica con gas, te sugiero ....
....

9. Si te cortas con un cuchillo y te sale mucha sangre, te aconsejo ....
....

12.10 **Completa los espacios vacíos con el verbo en subjuntivo:**

1. ▷ Señor agente, yo no he hecho nada.
   ► Le exijo que *(callarse)* ...., *(bajarse)* .... del coche y *(enseñar, a mí)* .... los papeles del vehículo.

2. ▷ ¿Y qué haces cuando tu hijo no te obedece?
   ► Pues le obligo a que *(ponerse)* .... el pijama y *(meterse)* .... en la cama. Otras veces le prohíbo que *(jugar)* .... con sus amigos o que *(ver)* .... la televisión.

3. ▷ ¡No pienso hacer los deberes!
   ► Te ordeno que los *(hacer)* .... ahora mismo o te suspendo la asignatura.

4. ▷ ¡Eres idiota!
   ► Te prohíbo que *(hablar, a mí)* .... así. Soy tu padre.

5. ▷ Mamá, mañana es el cumpleaños de Juan y hace una fiesta. ¿Puedo ir?
   ► Te dejo que *(ir)* .... si me ayudas ahora a ordenar la casa.

6. ▷ Doctor, ¿puedo comer queso? Me gusta muchísimo.
   ► Le permito que *(comer)* .... productos lácteos, pero le prohíbo que *(consumir)* .... huevos.

7. ▷ ¿Vienes conmigo a la biblioteca? Voy a buscar unos libros para el trabajo de sociales.
   ► Ahora no puedo, mi madre acaba de pedirme que *(acompañar, a ella)* .... al supermercado a hacer la compra de la semana.

8. El juez les ordena que *(devolver, ellos)* .... los objetos robados y que *(cumplir)* .... una pena de seis meses en prisión.

9. ▷ No puedo más, me voy.
   ► Te ruego que *(quedarse, tú)* .... y *(ayudar, a mí)* ....

APÉNDICE GRAMATICAL

Unidad 1

1. **Presentes regulares**

	Hablar	Comer	Vivir
Yo	hablo	como	vivo
Tú	hablas	comes	vives
Él/ella/usted	habla	come	vive
Nosotros/as	hablamos	comemos	vivimos
Vosotros/as	habláis	coméis	vivís
Ellos/ellas/ustedes	hablan	comen	viven

2. **Reflexivos**

		Lavarse
Yo	me	lavo
Tú	te	lavas
Él/ella/usted	se	lava
Nosotros/as	nos	lavamos
Vosotros/as	os	laváis
Ellos/ellas/ustedes	se	lavan

3. **Presentes irregulares**

	E > IE	E > I	O > UE
	Querer	Pedir	Poder
Yo	quiero	pido	puedo
Tú	quieres	pides	puedes
Él/ella/usted	quiere	pide	puede
Nosotros/as	queremos	pedimos	podemos
Vosotros/as	queréis	pedís	podéis
Ellos/ellas/ustedes	quieren	piden	pueden

| | U > UE | I > Y |
	Jugar	Construir
Yo	juego	construyo
Tú	juegas	construyes
Él/ella/usted	juega	construye
Nosotros/as	jugamos	construimos
Vosotros/as	jugáis	construís
Ellos/ellas/ustedes	juegan	construyen

Funcionan como:
- **Querer:** perder, despertarse, cerrar, empezar, entender, pensar...
- **Pedir:** servir, vestirse, corregir...
- **Poder:** encontrar, volver, dormir, costar, recordar, soler...
- **Construir:** destruir, huir, obstruir, fluir...

4. Verbos con la primera persona irregular

| | C > ZC | Ø > G ° | G > J |
	Conocer	Hacer	Coger
Yo	conozco	hago	cojo
Tú	conoces	haces	coges
Él/ella/usted	conoce	hace	coge
Nosotros/as	conocemos	hacemos	cogemos
Vosotros/as	conocéis	hacéis	cogéis
Ellos/ellas/ustedes	conocen	hacen	cogen

Funcionan como:
- **Conocer:** conducir, producir, reducir, padecer...
- **Hacer:** poner, salir, valer...

Otros verbos irregulares en la primera persona:
- **Saber:** sé; **Dar:** doy; **Estar:** estoy.

5. Verbos con dos o más irregularidades

	Venir	Decir
Yo	vengo	digo
Tú	vienes	dices
Él/ella/usted	viene	dice
Nosotros/as	venimos	decimos
Vosotros/as	venís	decís
Ellos/ellas/ustedes	vienen	dicen

Funcionan como:
- **Venir:** tener, prevenir...

6. Verbos totalmente irregulares

	Ser		Ir	
Yo	soy		voy	
Tú	eres		vas	
Él/ella/usted	es		va	
Nosotros/as	somos		vamos	
Vosotros/as	sois		vais	
Ellos/ellas/ustedes	son		van	

Unidad 2

1. *Ser y estar*

	Ser		Estar	
Yo	soy		estoy	
Tú	eres		estás	
Él/ella/usted	es		está	
Nosotros/as	somos		estamos	
Vosotros/as	sois		estáis	
Ellos/ellas/ustedes	son		están	

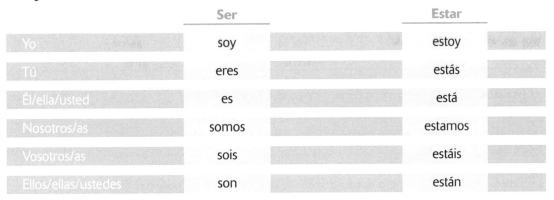

Identidad:
- *Ella es **Paula**.*

Nacionalidad:
- *Soy **japonesa**.*

Característica:
- *La silla es **azul**.*
- *Juan es **alto** y **guapo**.*
- *Ana es muy **alegre**.*

Estado de ánimo o físico:
- *Está **triste** y muy **cansado**.*
- *Luisa está muy guapa **con ese vestido**.*

Estado de una cosa:
- *La puerta está **abierta**.*

Profesión:
- *Ellos son **profesores**.*

Trabajo temporal:
- *Laura está **de** camarera.*

Acontecimientos:
- ***El concierto** es en Barcelona.*

Localización:
- *Pedro está **en el bar** de al lado.*

Valoración:	Modo: (bien/genial, mal/fatal)
• Este libro es **bueno**.	• Esta película está muy **bien**.

Hora:
• Son **las cuatro y media**.

Tiempo:	Tiempo: (1.ª persona plural)
• Hoy es **lunes**.	• Estamos **a** 5 de diciembre.

	Acción en proceso:
	• Luisa está **estudiando**.

2. *Ser* y *estar*. Adjetivos con cambio de significado

Bueno/a

Ser: persona honesta/cosa de calidad.
- *Jaime ayuda a su madre, **es** bueno.*
- *Este vino es de gran calidad, **es** bueno.*

Estar: persona atractiva/buen sabor.
- *Sara **está** muy buena, cada día está más guapa.*
- *Esta sopa **está** buenísima.*

Malo/a

Ser: persona deshonesta/cosa sin calidad.
- *Paco no tiene amigos porque **es** malo.*
- *Este queso es barato, pero no **es** malo.*

Estar: persona enferma/mal sabor o mal estado.
- *Ana **está** malísima, está en la cama con gripe.*
- *Esta leche **está** mala, no tiene buen sabor.*

Listo/a

Ser: persona inteligente.
- *Carmen es la primera de la clase, **es** muy lista.*

Estar: persona o cosa preparada para algo.
- *Solo tengo que pintarme y **estoy** lista para salir.*
- *La cena ya **está** lista.*

Rico/a

Ser: persona con mucho dinero.
- *Bill Gates **es** el hombre más rico del mundo.*

Estar: alimento con mucho sabor.
- *Este café **está** muy rico.*

Verde

Ser: color.
- *No me gusta la camisa porque **es** verde.*

Estar: inmaduro/inexperto.
- *Esas fresas **están** verdes, no están buenas.*
- *Juan **está** muy verde, se nota que es su primer trabajo.*

Negro/a

Ser: raza/color.
- *Julivaldo **es** un negro muy guapo, es de Nueva York.*
- *Esta no es mi chaqueta, la mía **es** negra.*

Estar: moreno/sucio/enfadado.
- *Lucía **está** negra, ha estado un mes en la playa.*
- *La cocina **está** negra, hay que limpiarla.*
- ***Estoy** negra, tengo mucho trabajo y nadie me ayuda.*

Cerrado/a

Ser: persona introvertida.
- *Carlos **es** muy cerrado, no se relaciona con nadie.*

Estar: estado de un objeto o lugar.
- *El bar **está** cerrado, no abre hasta las ocho.*

Abierto/a

Ser: persona extrovertida.
- *Pepe **es** muy abierto, habla con cualquiera.*

Estar: estado de un objeto o lugar.
- *La puerta **está** abierta, supongo que podemos entrar.*

3. Verbos de movimiento con preposición

- **Estar en**
- **Salir de**
- **Ir a**
- **Llegar a**
- **Entrar en**
- **Volver a**
- **Venir de**

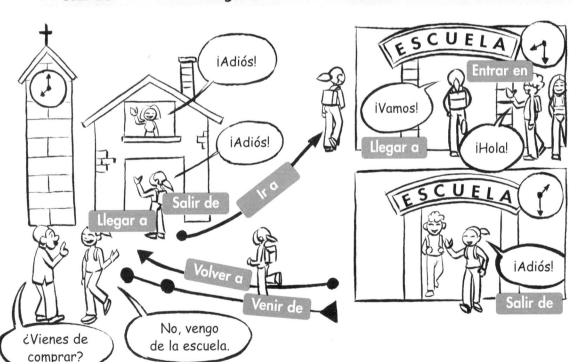

1. Juana **está en** la ventana de su habitación.
2. Ana **sale de** casa a las 8:00 h.
3. Ana **va a** la escuela.
4. Ana **llega a** la escuela a las 8:20 h.
5. Ana **entra en** la escuela a las 8:30 h.
6. Ana **sale de** la escuela a las 13:30 h.
7. Ana **vuelve a** casa.

Unidad 3

1. Pretérito indefinido (verbos regulares)

	Hablar	Comer	Vivir
Yo	hablé	comí	viví
Tú	hablaste	comiste	viviste
Él/ella/usted	habló	comió	vivió
Nosotros/as	hablamos	comimos	vivimos
Vosotros/as	hablasteis	comisteis	vivisteis
Ellos/ellas/ustedes	hablaron	comieron	vivieron

2. Reflexivos

		Lavarse
Yo	me	lavé
Tú	te	lavaste
Él/ella/usted	se	lavó
Nosotros/as	nos	lavamos
Vosotros/as	os	lavasteis
Ellos/ellas/ustedes	se	lavaron

3. Pretérito indefinido (verbos irregulares)

a. Totalmente irregulares

	Singular			Plural		
	Yo	Tú	Él	Nosotros	Vosotros	Ellos
Ser	fui	fuiste	fue	fuimos	fuisteis	fueron
Ir	fui-	fuiste	fue	fuimos	fuisteis	fueron

¡ATENCIÓN!

– El significado del verbo (ser o ir) depende siempre del contexto.

– Estos verbos irregulares no llevan acento (´): Ejemplo: *Él fué* = mal / *Él fue* = bien.

b. Irregulares en la raíz verbal

Infinitivo	Raíz verbal irregular	Terminaciones					
		Singular			Plural		
		Yo	Tú	Él	Nosotros	Vosotros	Ellos
Estar	**Est**uv-	-e	-iste	-o	-imos	-isteis	-ieron
Andar	**And**uv-	-e	-iste	-o	-imos	-isteis	-ieron
Tener	**T**uv-	-e	-iste	-o	-imos	-isteis	-ieron
Haber	**H**ub-	-e	-iste	-o	-imos	-isteis	-ieron
Poder	**P**ud-	-e	-iste	-o	-imos	-isteis	-ieron
Poner	**P**us-	-e	-iste	-o	-imos	-isteis	-ieron
Saber	**S**up-	-e	-iste	-o	-imos	-isteis	-ieron
Caber	**C**up-	-e	-iste	-o	-imos	-isteis	-ieron
Venir	**V**in-	-e	-iste	-o	-imos	-isteis	-ieron
Querer	**Qu**is-	-e	-iste	-o	-imos	-isteis	-ieron
Hacer	**H**ic-	-e	-iste	hi**z**o	-imos	-isteis	-ieron

¡ATENCIÓN!
- Solo es irregular la raíz verbal. Las terminaciones son iguales para todos los verbos, independientemente de si son verbos acabados en -ar, -er, -ir.
- Recuerda los cambios ortográficos c>z (za, zo, zu, ce, ci).
- Estos verbos irregulares no llevan acento (´): Ejemplo: Él vinó = mal / Él vino = bien.

c. Irregulares en la raíz verbal y en la 3.ª persona del plural

Infinitivo	Raíz verbal irregular	Terminaciones					
		Singular			Plural		
		Yo	Tú	Él	Nosotros	Vosotros	Ellos
Decir	**D**ij-	-e	-iste	-o	-imos	-isteis	-eron
Traer	**Tra**j-	-e	-iste	-o	-imos	-isteis	-eron

¡ATENCIÓN!
- Este grupo de verbos es irregular en la raíz verbal y, en la 3.ª persona del plural, no es -ieron, sino -eron). La razón está en la -j- de la raíz verbal.
- Estos verbos irregulares no llevan acento (´): Ejemplo: Él dijó = mal / Él dijo = bien.

d. Irregular en las terminaciones verbales

Infinitivo	Raíz verbal regular	Terminaciones					
		Singular			Plural		
		Yo	Tú	Él	Nosotros	Vosotros	Ellos
Dar	**D**-	-i	-iste	-io	-imos	-isteis	-ieron

4. Uso del pretérito indefinido (marcadores temporales de pretérito indefinido)

Usamos el **pretérito indefinido** para hablar de todas las *acciones pasadas* en un periodo de *tiempo terminado* del pasado:

- Hay palabras que indican cuándo pasa la acción:
    - **Ahora** indica que la acción pasa en el *presente*.
      Ahora *estoy escribiendo.*
    - **Esta mañana** indica que la acción ha pasado en un *tiempo no terminado* (**esta mañana** es parte del día de **hoy** y **hoy** no ha terminado).
      Esta mañana *me he levantado a las siete.*
    - **Ayer** indica que la acción pasó en un *tiempo terminado* del pasado.
      Ayer *me levanté a las ocho.*

  Las palabras **ahora**, **esta mañana**, **ayer** se llaman **marcadores temporales**.

- Hay dos grupos de marcadores temporales de pretérito indefinido:

    a. Palabras que indican un momento concreto.

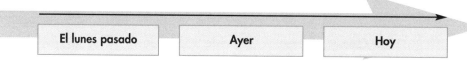

    - **Ayer** (ayer por la mañana/al mediodía/por la tarde/por la noche).
    - **Anteayer** o **antes de ayer.**
    - **Anoche.**
    - **El otro día.**
    - **La semana pasada** (el lunes pasado, el sábado pasado).
    - **El mes pasado.**
    - **Hace** *dos* meses.
    - **En enero / En** enero **del año pasado / En** enero **de hace** dos años...
    - **En** 1990 / **En** marzo **de** 1985...
    - **El** 11 **de** septiembre **de** 1982.

    b. Palabras que indican un periodo de tiempo cerrado o delimitado.

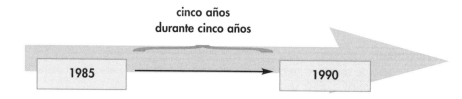

    Ejemplos: *Trabajé* <u>*cinco años*</u> *en Japón.*
    No trabajé <u>*durante cinco años.*</u>

    - **Siete** días/semanas/meses/años...
    - **Durante nueve** días/semanas/meses/años...
    - **Desde** el lunes **hasta** el martes.
    - **De** 1985 **a** 1990.

Unidad 4

1. Pretérito perfecto (verbos regulares)

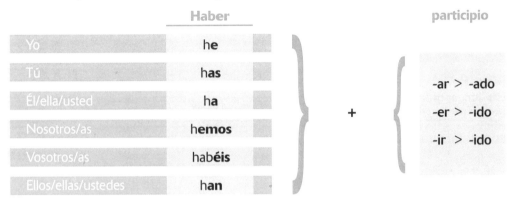

	Haber		participio
Yo	he		
Tú	has		-ar > -ado
Él/ella/usted	ha	+	-er > -ido
Nosotros/as	hemos		-ir > -ido
Vosotros/as	habéis		
Ellos/ellas/ustedes	han		

Participios irregulares

Abrir	Abierto	Hacer	Hecho	Romper	Roto
Decir	Dicho	Morir	Muerto	Ver	Visto
Cubrir	Cubierto	Poner	Puesto	Volver	Vuelto
Escribir	Escrito	Resolver	Resuelto		

¡Atención con los verbos compuestos!

Hacer	*Des*hacer, *re*hacer...	Poner	*Pro*poner, *dis*poner
Cubrir	*Des*cubrir...	Volver	*De*volver, *re*volver

2. Uso del pretérito perfecto (marcadores temporales de pretérito perfecto)

Usamos el **pretérito perfecto** para:

- Hablar de todas las *acciones pasadas* en un periodo de *tiempo no terminado*.

  Fíjate en los siguientes ejemplos:

  a. **Esta mañana** _me he levantado_ a las siete.

     Esta mañana es un marcador temporal de pretérito perfecto. Indica que es una acción pasada en un *tiempo no terminado* (**esta mañana** es parte del día de **hoy** y **hoy** no ha terminado).

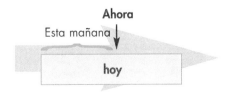

Ahora

Esta mañana

hoy

b. *Este mes* _he trabajado_ mucho.

Este mes también es un marcador de pretérito perfecto, en este contexto. Podemos decir esta frase cuando el mes todavía no ha terminado, por ejemplo, el día 26 de febrero.

FEBRERO						
1	2	3	4	5	6	7
8	9	10	11	12	13	14
15	16	17	18	19	20	21
22	23	24	25	**26**	27	28

También son **marcadores de pretérito perfecto**:

- Esta tarde/ esta noche/ esta semana/ primavera.
- Este verano/ invierno/ otoño.
- Este año.
- Este lunes, martes, etc.
- Hoy.
- Nunca/ Jamás.
- Ya/ Todavía.
- Últimamente.
- Alguna vez/ Algunas veces/ Varias veces/ x veces.
- Toda mi vida.
- En la vida.

3. Pronombres de complemento directo e indirecto

Usamos los pronombres cuando no queremos repetir el complemento:

1. Complemento directo de cosa (CDcosa)

a. ▷ *¿Has comprado **el periódico**?*
► *No, **lo** compro luego.*

b. ▷ *¿Dónde están **mis libros**?*
► ***Los** he puesto en la estantería.*

c. ▷ *¿Hacemos **la cena**?*
► *Ya **la** he hecho.*

d. ▷ *¿Has visto **mis llaves**?*
► ***Las** ha cogido Ana.*

Comprar, hacer, poner y *coger* son verbos que necesitan un complemento directo para completar su significado.

Verbo	Complemento	Pronombres
comprar		
poner	algo	
hacer	Complemento directo cosa (CDc)	**lo / la / los / las**
coger*		

2. Complemento directo de persona (CDpersona)

a. ▷ *¿Has visto **a José**?*
► *No, hoy no **lo** he visto.*

b. ▷ *¿Dónde están **los niños**?*
► *¿No **los** oyes? Están en el jardín.*

c. ▷ *¿Llamamos **a María**?*
► *Ahora no, luego **la** llamo yo.*

d. ▷ *¿Ya se han ido **Eva y Ana**?*
► *No, **las** estamos esperando.*

Ver, oír, llamar y *esperar* son verbos que necesitan un complemento directo de persona para completar su significado.

Verbo	Complemento	Pronombres	
ver*		**a mí** *me*	**a nosotros** *nos*
oír*	**a alguien**	**a ti** *te*	**a vosotros** *os*
llamar	Complemento directo persona (CDp)	**a él** *lo*	**a ellos** *los*
esperar*		**a ella** *la*	**a ellas** *las*

¡ATENCIÓN! Los verbos con * pueden necesitar un complemento directo de cosa o de persona, depende del contexto.

3. Complemento directo (CD) + complemento indirecto (CI)

a. ▷ *¿Le has dicho **a José** que no vamos a la fiesta?*

▶ *No, **se lo** digo luego.*

b. ▷ *¿Le has dado **la comida** a la niña?*

▶ *Sí, **se la** he dado hace un rato.*

Decir y *dar* son verbos que necesitan dos complementos para completar su significado, uno directo y otro indirecto.

Verbo	Complemento 1	Complemento 2	
Decir	**algo**	**a alguien**	
Dar	Complemento directo (CD)	Complemento indirecto (CI)	
	lo / la / los / las	**a mí** *me*	**a nosotros** *nos*
		a ti *te*	**a vosotros** *os*
		a él *le (se)*	**a ellos** *les (se)*
		a ella *le (se)*	**a ellas** *les (se)*

¡ATENCIÓN!

– Los verbos de este grupo siempre repiten el CI con un pronombre.
  Ejemplo: *¿Le has dicho **a José** que no vamos a la fiesta?*

– Cuando combinamos un pronombre de CD y otro de CI, siempre colocamos delante el CI y el *le* cambia a *se*:

  le lo > se lo   le la > se la   le los > se los   le las > se las

  Ejemplos: a. ▷ *¿Le has dicho **a José** que no vamos a la fiesta?*
                      ▶ *No, **se lo** digo luego.*
                  b. ▷ *¿Le has dado **la comida** a la niña?*
                      ▶ *Sí, **se la** he dado hace un rato.*

– Los pronombres siempre van delante del verbo, excepto cuando usamos:
  a. Infinitivo: Voy a dár**sela** *(la comida, a la niña)*.
  b. Gerundio: Estoy dándo**sela** *(la comida, a la niña)*.
  c. Imperativo: Dá**sela** *(la comida, a la niña)*.

Unidad 5

1. **Pretérito indefinido (verbos irregulares)**

a. Cambio de vocal E > I, O > U en la raíz verbal de la 3.ª persona del singular y plurar.

	E > I	O > U
	Pedir	**Dormir**
Yo	ped**í**	dorm**í**
Tú	ped**iste**	dorm**iste**
Él/ella/usted	p**i**d**ió**	d**u**rm**ió**
Nosotros/as	ped**imos**	dorm**imos**
Vosotros/as	ped**isteis**	dorm**isteis**
Ellos/ellas/ustedes	p**i**d**ieron**	d**u**rm**ieron**

Funcionan como:

- **Pedir:** sentir, servir, divertirse, medir, preferir, corregir, mentir...
- **Dormir:** morir(se).

b. Cambio de vocal I > Y en la terminación de la 3.ª persona del singular y plurar.

	I > Y	
	Leer	**Construir**
Yo	le**í**	constru**í**
Tú	le**íste**	constru**iste**
Él/ella/usted	le**yó**	constru**yó**
Nosotros/as	le**ímos**	constru**imos**
Vosotros/as	le**ísteis**	constru**isteis**
Ellos/ellas/ustedes	le**yeron**	constru**yeron**

Funcionan como:

- **Leer:** constuir, producir, reducir, caer, oír, creer, destruir...

2. **Usos del pretérito indefinido (marcadores temporales de pretérito indefinido)**

En la unidad 3 aprendiste que usamos el **pretérito indefinido** para hablar de todas las *acciones pasadas* en un periodo de *tiempo terminado* del pasado.

También aprendiste algunos **marcadores temporales de pretérito indefinido:**

1. QUE INDICAN UN MOMENTO CONCRETO DEL PASADO: **ayer, anteayer, anoche, el otro día, el mes pasado** (el lunes pasado...), **hace** dos meses, **en** enero, en 1990...

2. QUE INDICAN UN PERIODO DE TIEMPO CERRADO O DELIMITADO: **siete** días / semanas /..., **durante** *dos* meses / años /..., **desde** el lunes **hasta** el martes, **de** 1985 a 1990...

Ahora vamos a ver otro tipo de **marcadores temporales de pretérito indefinido:**

3. QUE RELACIONAN DOS *ACCIONES DIFERENTES* OCURRIDAS EN DOS MOMENTOS DEL PASADO:

Como estudiaste en la unidad 3, podemos decir:

a. Ana *se casó* **en 1990** y se divorció **en 1995.**

Pero también podemos relacionar esas dos acciones (casarse y divorciarse) ocurridas en esas dos fechas del pasado (1990 y 1995) así:

b. Ana *se casó* **en 1990** *y se divorció* <u>cinco años</u> ***después***.
c. Ana *se casó* **en 1990** *y se divorció* ***después de*** <u>cinco años</u>.
d. Ana *se casó* **en 1990** *y se divorció* <u>cinco años</u> ***más tarde***.
e. Ana *se casó* **en 1990** *y se divorció* ***al cabo de*** <u>cinco años</u>.
f. Ana *se casó* **en 1990** *y se divorció* ***a los*** <u>cinco años</u>.

¡ATENCIÓN! Todas estas frases (a,b,c,d,e, y f) significan lo mismo. Pero, es mejor usar b, c, d, e, y f cuando queremos evitar la repetición continua de fechas, por ejemplo, al hablar de momentos importantes en la vida de una persona o en una biografía.

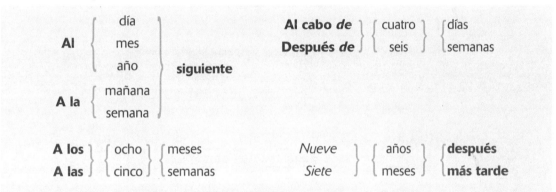

* PARA RELACIONAR *UNA ACCIÓN QUE SE REPITE* EN DOS MOMENTOS DEL PASADO usamos la perífrasis **volver + a + infinitivo**

Podemos decir:

Fui a París en 1990 y *fui* otra vez
- en 1995.
- al cabo de cinco años.
- a los cinco años.
- cinco años después.
- cinco años más tarde.

Pero, para no repetir la acción (fui), es mejor decir:

Fui a París en 1990 y ***volví a ir***
- en 1995.
- al cabo de cinco años.
- a los cinco años.
- cinco años después.
- cinco años más tarde.

Unidad 6

1. **Apócopes de los adjetivos: bueno, malo, primero, tercero, grande**

- Los adjetivos **bueno, malo, primero, tercero,** cuando son <u>masculino, singular</u> y van delante de un nombre, pierden la o: **buen, mal, primer, tercer**.

  - *Es un chico muy **bueno*** ➡ *Es un **buen** chico.*
  - *Me parece un ejemplo muy **malo*** ➡ *Me parece un **mal** ejemplo.*
  - *Vive en el piso **primero/ tercero*** ➡ *Vive en el **primer/ tercer** piso.*

- Asimismo, el adjetivo **grande** se convierte en **gran** cuando va delante de un nombre.

  ¡ATENCIÓN! El lugar del adjetivo puede cambiar el significado de la oración.

  - *Es un hombre muy **grande**. (Se refiere a su tamaño).*
  - *Es un **gran** hombre. (Es un hombre bondadoso).*

2. **El estilo indirecto en presente**

Hablamos de **estilo indirecto** cuando reproducimos las palabras dichas por otra persona.

a. ¿Qué cosas **añadimos** cuando trasmitimos las palabras de otra persona?

- **Que** cuando reproducimos un enunciado.
  - "Estoy cansado": Dice **que** está cansado.

- **Si** para reproducir una pregunta.
  - "¿Vienes?": Pregunta **si** vienes.

- **Los interrogativos** se mantienen o pueden ir introducidos por **que**.
  - "¿Dónde está?": Pregunta **(que) dónde** está.

b. ¿Qué cosas **cambiamos** cuando trasmitimos las palabras de otra persona?

- **La persona del verbo**.
  - "(Yo) **duermo** poco": (Él/ Ella) Dice que **duerme** poco.

- **Los pronombres**.
  - "**Me** voy": Dice que **se** va.

- **Los adjetivos posesivos**.
  - "Es **mi** libro": Dice que es **su** libro.

- **Las referencias temporales y espaciales**, dependiendo del lugar y el momento en que hablo.
  ¡ATENCIÓN! con los verbos ir/venir, llevar/traer.

  - "¿Puedes **traerme** un lápiz": Pregunta si puedo **llevarle** un lápiz.
  - "Mañana **iré** a tu casa: Dice que mañana **vendrá** a mi casa (está ya en la casa).

3. Las comparaciones

a. Comparación de superioridad.

- *Más* + **adjetivo** + *que*
  - *Julian es <u>más divertido que</u> Pedro.*

- *Más* + **sustantivo** + *que*
  - *Pedro tiene <u>más libros que</u> Julián.*

- **Verbo** + *más que*
  - *Pedro <u>estudia más que</u> Julián.*

b. Comparación de inferioridad.

- *Menos* + **adjetivo** + *que*
  - *Rosa es <u>menos atractiva que</u> Sara.*

- *Menos* + **sustantivo** + *que*
  - *Sara escucha <u>menos música que</u> Rosa.*

- **Verbo** + *menos que*
  - *Sara <u>descansa menos que</u> Rosa.*

c. Comparación de igualdad.

- *Tan* + **adjetivo** + *como*
  - *Nicolás es <u>tan trabajador como</u> Sonia.*

- *Tanto/a/os/as* + **sustantivo** + *como*
  - *Sonia pasa <u>tantas horas como</u> Nicolás en el trabajo.*

- **Verbo** + *tanto como*
  - *Nicolás <u>trabaja tanto como</u> Sonia.*

d. Los superlativos.

- **Relativos** (comparado con un conjunto):
  El/la/los/las + *más* + **adjetivo** + *de*
  - *Diego es <u>el más aplicado de</u> la clase.*

- **Absolutos:**
  Adjetivo + *-ísimo/a/os/as*
  - *Marta es simpatiquí<u>sima</u>.*

4. Comparativos irregulares

Bueno	....	Mejor	Más viejo	....	Mayor
Malo	....	Peor	Más joven	....	Menor

- No decimos más bueno, más malo.
  - *Mi coche es ~~más bueno~~.* ➜ *Mi coche es **mejor**.*

- Tampoco decimos *más grande* ni *más pequeño* cuando queremos decir que tiene más edad.
  - *Julián tiene tres años más que yo.* ➜ *Es ~~más grande~~ que yo.* ➜ *Es **mayor** que yo.*

- Pero podemos decirlo, si nos referimos al tamaño.
  - *Mi casa es **más grande que** la de Miguel.*

Unidad 7

1. Pretérito imperfecto (verbos regulares)

	Hablar	Comer	Vivir
Yo	hablaba	comía	vivía
Tú	hablabas	comías	vivías
Él/ella/usted	hablaba	comía	vivía
Nosotros/as	hablábamos	comíamos	vivíamos
Vosotros/as	hablabais	comíais	vivíais
Ellos/ellas/ustedes	hablaban	comían	vivían

2. Reflexivos

		Lavarse
Yo	me	lavaba
Tú	te	lavabas
Él/ella/usted	se	lavaba
Nosotros/as	nos	lavábamos
Vosotros/as	os	lavabais
Ellos/ellas/ustedes	se	lavaban

3. Pretérito imperfecto (verbos irregulares)

	Ser	Ir	Ver
Yo	era	iba	veía
Tú	eras	ibas	veías
Él/ella/usted	era	iba	veía
Nosotros/as	éramos	íbamos	veíamos
Vosotros/as	erais	ibais	veíais
Ellos/ellas/ustedes	eran	iban	veían

PRISMA DE EJERCICIOS. APÉNDICE GRAMATICAL

4. Usos del pretérito imperfecto

Usamos el pretérito imperfecto para:

a. Expresar acciones habituales en el pasado.

– *Cuando **era** pequeña, **iba** a la escuela todos los días.*

- La frecuencia de una acción también se puede expresar con la perífrasis **soler + infinitivo**:
  – *El año pasado, yo solía **jugar** al fútbol.*
  – *El año pasado, yo **jugaba** al fútbol **con frecuencia/a menudo/ normalmente**.*

b. Descripción de personas o cosas en el pasado.

– *De pequeña, yo **era** rubia y muy delgada.*
– *Cuando **era** pequeña, yo **era** rubia y muy delgada.*

c. Descripción del contexto (tiempo, clima, situación) donde se desarrolla la *acción principal* ocurrida en el pasado.

– *Cuando salí de casa **hacía** mucho frío. En la calle no **había** nadie. Tampoco **circulaba** ningún coche. Solo **había** un bar abierto, pero **estaba** vacío...*

d. Presentar una acción en desarrollo en el pasado (en pretérito imperfecto), interrumpida por una acción puntual (en pretérito indefinido).

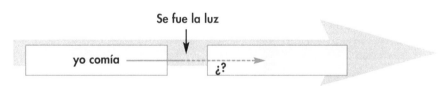

La acción de irse la luz interrumpe la comida y no sabemos si la persona terminó de comer o no.

e. Cuando queremos expresar la causa de una acción en el pasado.

- Otra manera de expresar la causa:

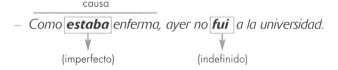

5. Marcadores temporales de pretérito imperfecto

Hay dos grupos de marcadores temporales de pretérito imperfecto:

1. La palabra **antes**, que indica un momento indefinido del pasado en contraste con el presente.

   – **Antes** fumaba mucho, ahora ya no fumo.

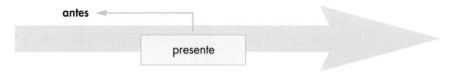

2. Palabras que expresan la habitualidad de una acción en un periodo de tiempo del pasado.

   – Cuando **era** pequeña, **iba** al campo con mi familia <u>todos los domingos</u>.
   – <u>A veces</u>, cuando **llovía**, **nos quedábamos** en casa y **jugábamos** a las cartas.
   – Yo **perdía** <u>casi siempre</u>, porque **tenía** muy mala suerte...

También son **marcadores de pretérito imperfecto**:

- Siempre.
- Casi siempre.

| Todos | { | los días.
los domingos.
los meses.
los años. | Todas | { | las semanas.
las mañanas.
las tardes.
las noches. |

- Normalmente.
- Con frecuencia.
- A menudo.
- A veces.
- Casi nunca.
- Nunca.

Unidad 8

1. **Contraste pretérito perfecto / pretérito indefinido**

Marcadores temporales de pretérito perfecto	Marcadores temporales de pretérito indefinido

■ **Indican periodo preciso de tiempo no terminado** (que incluye el presente):
- Esta tarde / esta semana / ...
- Este verano / invierno / ...
- Este mes / año / ...
- Este lunes / martes / ...
- Hoy
- Hace un momento / un rato

— *Esta mañana* **he trabajado** *mucho.*
— *Hace un momento* **he hablado** *con Luis.*

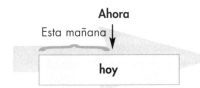

■ **Indican el número de veces que ha ocurrido una acción hasta el presente** (pero no informamos sobre cuándo ha ocurrido):
- Siempre = Toda la vida
- Muchas veces
- Alguna vez / algunas veces
- Nunca = Jamás = En la vida

— *Nunca* **he estado** *en Japón*.*
— *En la vida* **he conocido** *a nadie como él*.*
— *Marta siempre* **ha vivido** *en Sevilla* .*

* Estas personas están vivas porque el uso del pretérito perfecto indica que su vida es un tiempo **no** terminado.

■ **Indican periodo preciso de tiempo terminado en el pasado:**
- Ayer (por la mañana / al mediodía...)
- Anteayer o antes de ayer
- Anoche
- El lunes/martes / ... pasado
- La semana pasada
- El mes / año / ... pasado
- Hace dos meses
- En enero / En enero del año pasado / En enero de hace dos años...
- En 1990 / En marzo de 1985
- El 11 de septiembre de 1982
- A los nueve años

— *El lunes pasado* **trabajé** *mucho.*

■ **Indican el número de veces que ocurrió una acción en un periodo terminado y cerrado en el pasado:**
- Siempre = Toda la vida
- Muchas veces
- Alguna vez / algunas veces
- Nunca = Jamás = En la vida

— *Mi abuelo nunca* **viajó** *al extranjero*.*
— *Marta siempre* **vivió** *en Sevilla*.*
— *De niña* **fui** *a Madrid muchas veces**.*

* Estas personas están muertas porque el uso del pretérito indefinido indica que su vida es un tiempo terminado.

** Hablamos de una etapa de la vida terminada y cerrada: *De niña.*

Marcadores temporales de pretérito perfecto (cont.)	Marcadores temporales de pretérito indefinido (cont.)

■ **Indica periodo no preciso de tiempo no terminado** (que incluye el presente):

• Últimamente

  − *Últimamente* no **he salido** mucho.

■ **Indica que se ha realizado una acción esperada**:

• Ya

  − *Ya* **he visitado** la Sagrada Familia.

■ **Indican que una acción no se ha realizado hasta el presente, pero que la persona quiere realizarla en el futuro**:

• Todavía no = No todavía
• Aún no

  − *Todavía no* **he leído** Don Quijote de la Mancha.
  − *No* **he leído** *todavía* Don Quijote de la Mancha.
  − *Aún no* **he leído** Don Quijote de la Mancha.

■ **Indican periodo de tiempo terminado, cerrado o delimitado en el pasado**:

• Siete días/semanas/meses/años/...
• Durante nueve días/semanas...
• (Durante) toda su vida...
• Desde el lunes hasta el martes
• De 1985 a 1990
• Hasta su muerte/la jubilación...
• Hasta que se murió/se jubiló...

  − **Viví** en Roma *de* 1985 *a* 1990 / *cinco años*.
  − Dalí se **dedicó** a la pintura *toda su vida* / *hasta* su muerte.

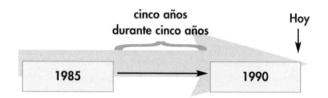

■ **Relacionan dos acciones diferentes ocurridas en dos momentos del pasado**:

• Cinco años después...
• Cinco años más tarde...
• Después de cinco años...
• Al cabo de cinco años...
• A los cinco años...

  − Ana **vino** a España *en 1950* y *a los siete años* se **fue.**
  − Ana **vino** a España *en 1950* y *siete años después* se **fue.**

2. Usos de los diferentes tiempos del pasado

Pretérito perfecto	Pretérito indefinido	Pretérito imperfecto

Pretérito perfecto

- **Hablar de acciones terminadas ocurridas en un periodo de tiempo no terminado** (que incluye el presente):
  - *Esta semana no he ido al cine.*

- **Hablar del número de veces que ha ocurrido una acción** (hasta el presente):
  - *Ana se ha casado dos veces.*
  - *Mi abuela siempre ha vivido en su pueblo.*

  * El uso del pretérito perfecto indica que la vida de estas personas no está terminada: están vivas.

- **Hablar de una sucesión de acciones terminadas ocurridas en un periodo de tiempo** (que incluye el presente):
  - *Hoy me he despertado a las siete, pero no me he levantado hasta las siete y veinte. He ido al baño y me he duchado. Después me he vestido. No he desayunado nada. Yo nunca desayuno en casa. He puesto la radio y he escuchado las noticias. Mientras tanto, he preparado mi mochila. Cuando he terminado, la he cogido y he salido de casa...*

- **Valorar situaciones**
  - ▷ *¿Qué te ha parecido la conferencia?*
  - ▶ *Pues... un rollo. Ha sido pesadísima. Me he aburrido un montón.*

Pretérito indefinido

- **Hablar de acciones terminadas ocurridas en un periodo de tiempo terminado y delimitado del pasado:**
  - *Ayer fui al cine.*

- **Hablar del número de veces que ha ocurrido una acción en un pasado terminado:**
  - *Pablo se casó ocho veces.*
  - *Mi abuela siempre vivió en su pueblo.*

  * El uso del pretérito indefinido indica que la vida de estas personas está terminada: están muertas.

- **Hablar de una sucesión de acciones terminadas ocurridas en un periodo de tiempo delimitado del pasado:**
  - *A los 18 años entré en la Universidad. El primer año estudié mucho, por eso saqué muy buenas notas. Durante ese año conocí a mi mejor amiga. Al año siguiente, en 1988, empecé a trabajar en una pizzería y, como me dediqué mucho menos a estudiar, saqué peores notas...*

- **Valorar situaciones**
  - ▷ *¿Qué tal la fiesta de anoche?*
  - ▶ *Pues, estuvo muy bien. Fue mucha gente conocida... Me lo pasé genial.*

Pretérito imperfecto

- **Describir acciones habituales:**
  - *De pequeña, Ana siempre iba al pueblo de sus padres con su familia.*

- **Describir cosas:**
  - *Era una casa muy vieja...*

- **Describir personas:**
  - Físico
    - *La abuela era alta y muy gorda. Tenía el pelo negro...*
  - Carácter
    - *Era una mujer muy alegre.*
  - Estado físico y/o emocional
    - *Estaba bastante cansada y se sentía desanimada.*
  - Creencias
    - *Era una mujer muy religiosa...*
  - Ideas/gustos
    - *Ana pensaba que la vida en el pueblo era divertidísima.*
  - Intenciones/deseos
    - *Esa mañana Ana quería pasear por el pueblo...*

- **Describir el contexto de la acción principal:**
  - Acción principal
    - *Un día Ana se despertó muy temprano. Se vistió y salió de casa.*
  - Contexto: tiempo
    - *Eran las siete.*
  - Contexto: clima
    - *Hacía mucho frío. El cielo estaba nublado, pero no llovía...*
  - Contexto: situación
    - *En la calle no había nadie. Tampoco pasaba ningún coche.*

Pretérito perfecto	Pretérito indefinido	Pretérito imperfecto

■ **Expresar la causa que informa sobre una acción puntual que ha determinado la acción principal en un pasado reciente:**

— *Esta mañana* **he llegado** *tarde al trabajo porque* **he perdido** *el tren.*

■ **Expresar la causa que informa sobre una acción puntual que determinó la acción principal en el pasado:**

— *El lunes* **llegué** *tarde al trabajo porque* **perdí** *el tren.*

■ **Expresar la causa que describe las circustancias que determinaron la acción principal en el pasado:**

— *El lunes* **llegué** *tarde al trabajo porque el tren* **estaba** *averiado.*

3. La duración de una acción en el pasado

Hace + cantidad de tiempo

• A veces no recordamos la fecha exacta en que ocurrió una acción, pero sí la cantidad de tiempo que ha pasado desde ese momento hasta el presente.

– *Fui a Australia* **hace** *cinco años.* (= *Fui a Australia* **en 1999**).

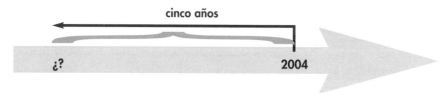

¿Desde cuándo + verbo en presente de indicativo?

• Para preguntar en qué momento del pasado empezó una acción actual.

– *¿***Desde** *cuándo vive Eli en Madrid?*

Desde hace + cantidad de tiempo

• Para indicar en qué momento del pasado empezó una acción que todavía dura en el presente. Pero no recordamos la fecha exacta y sí la cantidad de tiempo que ha transcurrido desde ese momento hasta el presente.

– *Eli vive en Madrid* **desde hace** *diez años.* (= *Eli vive en Madrid* **desde 1994**).

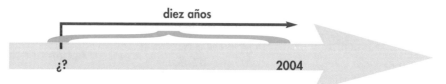

¿Cuánto (tiempo) + verbo llevar en presente + (gerundio)?

• Cuando una persona está realizando una acción en el presente y queremos saber cuándo empezó. Pero tenemos más interés en conocer la cantidad de tiempo de realización de esta acción que su momento de inicio.

– *¿Cuánto tiempo* **lleva** *viviendo Eli en Madrid?* (= *¿Cuánto* **lleva** *Eli en Madrid?*).

Verbo llevar en presente + (gerundio)

• Para indicar la cantidad de tiempo de realización de un acción desde que empezó en el pasado hasta el presente.

– *Eli* **lleva** *viviendo diez años en Madrid.* (= *Eli* **lleva** *diez años en Madrid*).

Unidad 9

1. *Estar* (pretérito indefinido) + gerundio

Usamos la perífrasis **estar (pretérito indefinido) + gerundio** cuando informamos sobre la realización de una ÚNICA acción en desarrollo terminada que ocurrió en un tiempo terminado y delimitado del pasado.

- Cristina **estuvo esquiando** _todo el fin de semana_.
- Anita **estuvo jugando** con el monopatín _toda la mañana del domingo_.
- Oriol **estuvo hablando** por teléfono _durante tres horas_.
- Sergio **estuvo conduciendo** de mal humor _desde que salió de Madrid hasta que llegó a Barcelona_.
- Eva y sus compañeros **estuvieron trabajando** en el proyecto _hasta que lo terminaron_.
- Nuria **se estuvo probando** gafas _hasta que_ encontró unas que le gustaron.

Marcadores temporales de tiempo terminado y delimitado del pasado:

- **Todo** el fin de semana / el día / el mes /...
- **Toda** la mañana / la noche / la semana /...
- **Durante** nueve horas / días / semanas / meses /...
- **Desde que** + indefinido...   **hasta que** + indefinido
- **...hasta que** + indefinido

2. *Estar* (pretérito imperfecto) + gerundio

- Esta mañana Juan ha ido al masajista porque le dolía mucho la espalda.

⇩

- Juan _ha gritado_ ⬚cuando⬚ el masajista le **estaba dando** un masaje.

- La acción ⬚**dar** un masaje⬚ es una _acción en desarrollo_ (por eso la expresamos con la perífrasis **estar + gerundio**) ocurrida en el pasado. No sabemos si el masajista ha terminado su acción o no, por eso decimos que es una _acción sin terminar_ y usamos el verbo **estar** en pretérito imperfecto: **estaba dando** un masaje.

- En cambio, la acción ⬚**gritar**⬚ es una _acción terminada_, que ha durado solo unos segundos, en un tiempo no terminado que incluye el presente: ESTA MAÑANA (por eso usamos el pretérito perfecto: **ha gritado**) y que ha ocurrido cuando la acción de ⬚**dar** un masaje⬚ todavía no estaba acabada.

- Ayer Hugo fue al dentista porque le dolía mucho una muela. Hugo estaba cansadísimo.

⇩

- Hugo _se quedó_ dormido ⬚mientras⬚ el dentista le **estaba mirando** la boca.

- La acción ⬚**mirar** la boca⬚ es una _acción en desarrollo_ (por eso la expresamos con la perífrasis **estar + gerundio**) ocurrida en el pasado. Seguramente Hugo tenía los ojos cerrados antes de quedarse dormido, pero tener los ojos cerrados no significa estar dormido, así que no sabemos si el dentista continuó su trabajo o no, depende de si se dio cuenta o no. Por eso decimos que es una _acción sin terminar_ y usamos el verbo _estar_ en pretérito imperfecto: **estaba mirando** _la boca_).

- En cambio, la acción ⬚**quedarse dormido**⬚ es una _acción terminada_, que duró solo unos segundos, en un tiempo terminado: AYER (por eso usamos el pretérito indefinido: **se quedó dormido**) y que ocurrió cuando la acción de ⬚**mirar** la boca⬚ todavía no estaba acabada.

3. ## Contraste pretérito indefinido / pretérito imperfecto

■ El pretérito imperfecto presenta una acción en desarrollo sin terminar en el pasado (en **estar + gerundio**) interrumpida por:

a. Una acción terminada en un tiempo no terminado que incluye el presente (en pretérito perfecto):

– Juan **ha gritado** | cuando | el masajista le **estaba dando** un masaje.

(pretérito perfecto)
–acción puntual–

estar + gerundio
(pretérito imperfecto)
–acción en desarrollo–

El masajista le *estaba haciendo* un masaje

Juan ha gritado

* La acción de **gritar** ha ocurrido cuando la acción de **dar un masaje** no estaba terminada, así que no sabemos si el masajista ha terminado de dar el masaje o no.

b. Una acción terminada en un tiempo terminado del pasado (en pretérito indefinido):

– Hugo **se quedó dormido** | mientras | el dentista le **estaba mirando** la boca.

(pretérito indefinido)
–acción puntual–

estar + gerundio
(pretérito imperfecto)
–acción en desarrollo–

El dentista le *estaba mirando* la boca

Hugo se quedó dormido

* La acción de **quedarse dormido** ocurrió cuando la acción de **mirar la boca** no estaba acabada, así que no sabemos si el dentista terminó su trabajo o no.

■ El pretérito imperfecto describe el contexto donde ocurre la acción principal en el pasado:

– | Cuando | Juan <u>ha gritado</u>, en la sala de espera no **había** nadie.

– | Cuando | Hugo <u>se quedó dormido</u>, **eran** las once.

Unidad 10

1. ## Futuro imperfecto (verbos regulares)

	Hablar	Comer	Vivir
Yo	hablar**é**	comer**é**	vivir**é**
Tú	hablar**ás**	comer**ás**	vivir**ás**
Él/ella/usted	hablar**á**	comer**á**	vivir**á**
Nosotros/as	hablar**emos**	comer**emos**	vivir**emos**
Vosotros/as	hablar**éis**	comer**éis**	vivir**éis**
Ellos/ellas/ustedes	hablar**án**	comer**án**	vivir**án**

Fíjate que añadimos las mismas terminaciones a las tres conjugaciones.

PRISMA DE EJERCICIOS. APÉNDICE GRAMATICAL

2. Futuro imperfecto (verbos irregulares)

Solo existen DOCE verbos irregulares en futuro imperfecto, que cambian la raíz y mantienen las terminaciones:

Caber		Decir		Haber		Hacer	
	-é		-é		-é		-é
	-ás		-ás		-ás		-ás
	-á		-á		-á		-á
cabr	-emos	dir	-emos	habr	-emos	har	-emos
	-éis		-éis		-éis		-éis
	-án		-án		-án		-án

Poder		Poner		Querer		Saber	
	-é		-é		-é		-é
	-ás		-ás		-ás		-ás
	-á		-á		-á		-á
podr	-emos	pondr	-emos	querr	-emos	sabr	-emos
	-éis		-éis		-éis		-éis
	-án		-án		-án		-án

Salir		Tener		Valer		Venir	
	-é		-é		-é		-é
	-ás		-ás		-ás		-ás
	-á		-á		-á		-á
saldr	-emos	tendr	-emos	valdr	-emos	vendr	-emos
	-éis		-éis		-éis		-éis
	-án		-án		-án		-án

3. Verbos reflexivos

		Lavarse	
Yo	me	lavaré	
Tú	te	lavarás	
Él/ella/usted	se	lavará	
Nosotros/as	nos	lavaremos	
Vosotros/as	os	lavaréis	
Ellos/ellas/ustedes	se	lavarán	

4. Formas verbales que expresan futuro

■ **Presente:** Para hablar de acciones en un futuro inmediato.

- Esta noche **voy** al cine.

■ ***Ir + a + infinitivo:*** Para hablar de decisiones y proyectos.

- La semana que viene **voy a comer** con mi abuela.

■ ***Pensar + infinitivo:*** Para hablar también de intenciones.

- Este año **pienso hacer** más deporte.

■ **Futuro imperfecto.** Usamos el futuro imperfecto para:

• Hacer conjeturas, es decir, hablar de acciones del futuro de las que no estamos seguros:

- **No sé** dónde **iremos** a cenar.
- **Creo que** me lo **compraré**.

• Hacer promesas de futuro:

- **Te prometo que** no lo **haré** nunca más.
- **Te juro que estudiaremos** todos los días.

• Hacer predicciones:

- Mañana **lloverá** en el Pirineo.
- El horóscopo dice que los Sagitario **tendrán** una semana espléndida.

• Hablar de acciones futuras sin precisar el momento exacto:

- **Empezaré** a estudiar **un día de estos.**
- **Celebraremos** el congreso **aproximadamente** en el mes de octubre.

• Hablar de acciones futuras que dependen de una condición:

- **Si** vienes a mi casa, **comeremos** helado.

• Expresar probabilidad en el presente: Usamos el futuro para expresar una hipótesis o algo de lo que no estamos seguros. Fíjate en la siguiente tabla con algunos ejemplos:

Pregunta	Sé la respuesta	No lo sé y hago una hipótesis
¿Qué hora es?	**Son** las nueve.	**Serán** las nueve.
¿Cuántos años tiene Carlos?	**Tiene** 32 años.	**Tendrá** unos 32 años.

5. Marcadores temporales de futuro

• **Mañana.**
• **Pasado mañana.**
• **Esta** tarde, esta noche, este jueves...

[* Recuerda que estos marcadores también son de pretérito perfecto si se refieren al pasado]

• **El próximo** { lunes. / mes. / año... }   • **La próxima** { semana. / primavera. }   { El año / El mes / La semana } **que viene.**

• **Dentro de** dos días, un año, un tiempo...

6. Oraciones condicionales

Más adelante vas a ver que existen tres tipos de oraciones condicionales.

Por ahora solo vas a estudiar la **primera condicional**. La usamos cuando hablamos de una **condición muy probable.**

> **Si + presente de indicativo + futuro**

- **Si** me llamas *mañana,* **te acompaño** *al médico.*
- Si **estudias,** *aprobarás.*
- **Si** *no* **te esfuerzas, vas a suspender.**

Unidad 11

1. Condicional (verbos regulares)

	Hablar	Comer	Vivir
Yo	hablar**ía**	comer**ía**	vivir**ía**
Tú	hablar**ías**	comer**ías**	vivir**ías**
Él/ella/usted	hablar**ía**	comer**ía**	vivir**ía**
Nosotros/as	hablar**íamos**	comer**íamos**	vivir**íamos**
Vosotros/as	hablar**íais**	comer**íais**	vivir**íais**
Ellos/ellas/ustedes	hablar**ían**	comer**ían**	vivir**ían**

Fíjate que, como en el futuro, añadimos las mismas terminaciones a las tres conjugaciones.

2. Condicional (verbos irregulares)

Al igual que en el futuro imperfecto, solo existen DOCE verbos irregulares en condicional, que cambian la raíz y mantienen las terminaciones:

Caber		Decir		Haber		Hacer	
	-ía		-ía		-ía		-ía
	-ías		-ías		-ías		-ías
cabr	-ía	dir	-ía	habr	-ía	har	-ía
	-íamos		-íamos		-íamos		-íamos
	-íais		-íais		-íais		-íais
	-ían		-ían		-ían		-ían

Poder		Poner		Querer		Saber	
podr	-ía	pondr	-ía	querr	-ía	sabr	-ía
	-ías		-ías		-ías		-ías
	-ía		-ía		-ía		-ía
	-íamos		-íamos		-íamos		-íamos
	-íais		-íais		-íais		-íais
	-ían		-ían		-ían		-ían

Salir		Tener		Valer		Venir	
saldr	-ía	tendr	-ía	valdr	-ía	vendr	-ía
	-ías		-ías		-ías		-ías
	-ía		-ía		-ía		-ía
	-íamos		-íamos		-íamos		-íamos
	-íais		-íais		-íais		-íais
	-ían		-ían		-ían		-ían

3. Verbos reflexivos

		Lavarse
Yo	me	lavaría
Tú	te	lavarías
Él/ella/usted	se	lavaría
Nosotros/as	nos	lavaríamos
Vosotros/as	os	lavaríais
Ellos/ellas/ustedes	se	lavarían

4. Usos del condicional

- Expresar cortesía:

  – *Perdón, ¿**podría** decirme dónde está la calle Valencia?*

Como sabes, en español también utilizamos el pretérito imperfecto para expresar cortesía, así como la tercera persona formal "usted/ ustedes" del presente de indicativo:

  – *Perdón, ¿**podía** decirme dónde está la calle Valencia?*

  – *Perdón, ¿**puede** (usted) decirme dónde está la calle Valencia?*

- Dar consejos:

> – Me duele mucho la cabeza.

> – Yo en tu lugar me **tomaría** una aspirina./ **Deberías tomarte** una aspirina.

En español, tenemos distintas estructuras que nos sirven para dar un consejo o sugerir algo. En el ejemplo anterior te hemos presentado dos, aquí tienes más:

Yo en tu lugar			Deberías	
Yo que tú	} + condicional		Tendrías que	} + infinitivo
Si yo fuera tú				
Yo			Podrías	

- Expresar un deseo en el futuro:

> – Me **gustaría** ir a cenar a un lugar tranquilo.

- Expresar probabilidad en el pasado:

Usamos el condicional para expresar una hipótesis o algo de lo que no estamos seguros, que ocurrió en el pasado. Fíjate en la siguiente tabla con algunos ejemplos:

Pregunta	Sé la respuesta	No lo sé y hago una hipótesis
¿A qué hora llegó Juan anoche?	**Eran** las nueve.	**Serían** las nueve.
¿Con quién salió?	**Salió** con Sandra.	**Saldría** con Sandra.

Unidad 12

1. Imperativo afirmativo

TÚ
Verbos regulares

-ar → -a →	habla
-er → -e →	lee
-ir → -e →	escribe

VOSOTROS
Verbos regulares

-ar → -ad →	hablad
-er → -ed →	leed
-ir → -id →	escribid

Verbos irregulares

1.ª persona presente de indicativo

Poner →	yo pongo →	pon~~go~~ →	**pon**
Tener →	yo tengo →	ten~~go~~ →	**ten**
Venir →	yo vengo →	ven~~go~~ →	**ven**
Salir →	yo salgo →	sal~~go~~ →	**sal**
Decir →	yo digo →	di~~go~~ →	**di**
Hacer →	yo hago →	ha~~go~~ →	**haz**
Oír →	yo oigo →	oi~~go~~ →	**oye**
Ir →	yo voy →	voy →	**ve**
Ser →	yo soy →	soy →	**sé**

Verbos irregulares

No tiene

Verbos irregulares (cont.)

e > ie
Cerrar ➧ **cierra**

o > ue
Dormir ➧ **duerme**

u > ue
Jugar ➧ **juega**

e > i
Pedir ➧ **pide**

i > y
Construir ➧ **construye**

Verbos reflexivos

-arse ➧	-a~~d~~os ➧	levant**áos**
-erse ➧	-e~~d~~os ➧	pon**eos**
-irse ➧	-i~~d~~os ➧	dorm**íos**

USTED

Verbos regulares

-ar ➧ -e ➧ habl**e**
-er ➧ -a ➧ le**a**
-ir ➧ -a ➧ escrib**a**

Verbos irregulares

1.ª persona presente de indicativo

Poner ➧	yo pongo ➧	pong~~o~~ ➧	**ponga**
Tener ➧	yo tengo ➧	teng~~o~~ ➧	**tenga**
Venir ➧	yo vengo ➧	veng~~o~~ ➧	**venga**
Salir ➧	yo salgo ➧	salg~~o~~ ➧	**salga**
Decir ➧	yo digo ➧	dig~~o~~ ➧	**diga**
Hacer ➧	yo hago ➧	hag~~o~~ ➧	**haga**
Oír ➧	yo oigo ➧	oig~~o~~ ➧	**oiga**
Ir ➧	yo voy ➧	v~~oy~~ ➧	**va**y**a**

e > ie
Cerrar ➧ **cierre**

o > ue
Dormir ➧ **duerma**

u > ue
Jugar ➧ **juegue**

e > i
Pedir ➧ **pida**

i > y
Construir ➧ **construya**

USTEDES

Verbos regulares

-ar ➧ -en ➧ habl**en**
-er ➧ -an ➧ le**an**
-ir ➧ -an ➧ escrib**an**

Verbos irregulares

1.ª persona presente de indicativo

Poner ➧	yo pongo ➧	pong~~o~~ ➧	**pongan**
Tener ➧	yo tengo ➧	teng~~o~~ ➧	**tengan**
Venir ➧	yo vengo ➧	veng~~o~~ ➧	**vengan**
Salir ➧	yo salgo ➧	salg~~o~~ ➧	**salgan**
Decir ➧	yo digo ➧	dig~~o~~ ➧	**digan**
Hacer ➧	yo hago ➧	hag~~o~~ ➧	**hagan**
Oír ➧	yo oigo ➧	oig~~o~~ ➧	**oigan**
Ir ➧	yo voy ➧	v~~oy~~ ➧	**va**y**an**

e > ie
Cerrar ➧ **cierren**

o > ue
Dormir ➧ **duerman**

u > ue
Jugar ➧ **juegen**

e > i
Pedir ➧ **pidan**

i > y
Construir ➧ **construyan**

2. Imperativo negativo

TÚ

Verbos regulares

-**ar** ➡ -es ➡ no habl**es**

-**er** ➡ -as ➡ no le**as**

-**ir** ➡ -as ➡ no escrib**as**

Verbos irregulares

1.ª persona presente de indicativo

Poner ➡	yo pongo	➡	no **pongas**
Tener ➡	yo tengo	➡	no **tengas**
Venir ➡	yo vengo	➡	no **vengas**
Salir ➡	yo salgo	➡	no **salgas**
Decir ➡	yo digo	➡	no **digas**
Hacer ➡	yo hago	➡	no **hagas**
Oír ➡	yo oigo	➡	no **oigas**
Ir ➡	yo voy	➡	no **vayas**

e > ie

Cerrar ➡ no **cierres**

o > ue

Dormir ➡ no **duermas**

u > ue

Jugar ➡ no **juegues**

e > i

Pedir ➡ no **pidas**

i > y

Constru_ui_r ➡ no **construyas**

VOSOTROS

Verbos regulares

-**ar** ➡ -éis ➡ no habl**éis**

-**er** ➡ -áis ➡ no le**áis**

-**ir** ➡ -áis ➡ no escrib**áis**

Verbos irregulares

1.ª persona presente de indicativo

Poner ➡	yo pongo	➡	no **pongáis**
Tener ➡	yo tengo	➡	no **tengáis**
Venir ➡	yo vengo	➡	no **vengáis**
Salir ➡	yo salgo	➡	no **salgáis**
Decir ➡	yo digo	➡	no **digáis**
Hacer ➡	yo hago	➡	no **hagáis**
Oír ➡	yo oigo	➡	no **oigéis**
Ir ➡	yo voy	➡	no **vayáis**

e > ie

Cerrar ➡ no **cerréis**

o > ue

Dormir ➡ no **durmáis**

u > ue

Jugar ➡ no **juguéis**

e > i

Pedir ➡ no **pidáis**

i > y

Construir ➡ no **construyáis**

USTED

Verbos regulares

-**ar** ➡ -e ➡ no habl**e**

-**er** ➡ -a ➡ no le**a**

-**ir** ➡ -a ➡ no escrib**a**

Verbos irregulares

1.ª persona presente de indicativo

Poner ➡	yo pongo	➡	no **ponga**
Tener ➡	yo tengo	➡	no **tenga**
Venir ➡	yo vengo	➡	no **venga**
Salir ➡	yo salgo	➡	no **salga**
Decir ➡	yo digo	➡	no **diga**
Hacer ➡	yo hago	➡	no **haga**
Oír ➡	yo oigo	➡	no **oiga**
Ir ➡	yo voy	➡	no **vaya**

USTEDES

Verbos regulares

-**ar** ➡ -en ➡ no habl**en**

-**er** ➡ -an ➡ no le**an**

-**ir** ➡ -an ➡ no escrib**an**

Verbos irregulares

1.ª persona presente de indicativo

Poner ➡	yo pongo	➡	no **pongan**
Tener ➡	yo tengo	➡	no **tengan**
Venir ➡	yo vengo	➡	no **vengan**
Salir ➡	yo salgo	➡	no **salgan**
Decir ➡	yo digo	➡	no **digan**
Hacer ➡	yo hago	➡	no **hagan**
Oír ➡	yo oigo	➡	no **oigan**
Ir ➡	yo voy	➡	no **vayan**

Verbos irregulares (cont.)

	e > ie		
Cerrar	➡	no **cierre**	
	o > ue		
Dormir	➡	no **duerma**	
	u > ue		
Jugar	➡	no **juegue**	
	e > i		
Pedir	➡	no **pida**	
	i > y		
Construir	➡	no **construya**	

Verbos irregulares (cont.)

	e > ie		
Cerrar	➡	no **cierren**	
	o > ue		
Dormir	➡	no **duerman**	
	u > ue		
Jugar	➡	no **jueguen**	
	e > i		
Pedir	➡	no **pidan**	
	i > y		
Construir	➡	no **construyan**	

3. Usos del imperativo

Usamos el imperativo para:

- **Dar órdenes en contextos familiares o de mucha confianza** (las suavizamos con el tono o diciendo *"por favor"*).

  – *Marta, **pon** la mesa (por favor).* ➡ Contexto: en casa.

  – ***Déja**me el boli un momento (por favor).* ➡ Contexto: en la escuela.

- **Dar instrucciones**

  – ***Dejen** salir antes de entrar.* ➡ Contexto: en el metro.

  – *¿Una farmacia? Sí..., **siga** esta calle hasta el semáforo y luego, **gire** la primera a la derecha.* ➡ Contexto: en la calle.

- **Dar consejos**

  – *Si quieres aprender español, **ven** a estudiar a España.*

  – ***Tóme**se estas hierbas. Son buenas para el dolor de estómago.*

4. Imperativo + pronombres

- Cuando usamos el imperativo en la forma afirmativa, escribimos los pronombres detrás formando una única palabra:

  ▷ *¿Dónde pongo el equipo de música?*
  ▶ ***Pon**lo ahí.*
  ▷ *¿Y la tele?*
  ▶ ***Déja**la encima de la mesa.*
  ▷ *¿Y los libros?*
  ▶ ***Colóca**los en la estantería.*
  ▷ *¿Y las plantas?*
  ▶ ***Lléva**las a la terraza.*

  ▷ *¿Y qué hago con los CD?*
  ▶ *No sé. **Pregúnta**selo a Miguel.*
  ▷ *¿Y con esto, ¿qué hago?*
  ▶ ***Dá**melo a mí.*

- Cuando usamos el imperativo en la forma negativa, escribimos los pronombres delante:

  ▷ ***No** le **des** tantos caramelos a la niña.*

  ▶ *Pero si no son muchos. Son solo cinco.*

  ▷ *Bueno..., **dá**selos; pero **no** se los **des** todos ahora.*

PRISMA DE EJERCICIOS. APÉNDICE GRAMATICAL

5. Presente de subjuntivo

a. Verbos regulares

	-AR > -E		-ER > -A		-IR > -A	
	Hablar		Comer		Vivir	
Que yo	hable		coma		viva	
Que tú	hables		comas		vivas	
Que él/ella/usted	hable		coma		viva	
Que nosotros/as	hablemos		comamos		vivamos	
Que vosotros/as	habléis		comáis		viváis	
Que ellos/ellas/ustedes	hablen		coman		vivan	

b. Verbos irregulares

- Cambios de vocal **E > IE, O > UE, U > UE** en la 1.ª, 2.ª y 3.ª persona del singular y en la 3.ª del plural:

	E > IE		O > UE		U > UE	
	Querer		Poder		Jugar	
Que yo	quiera		pueda		juegue	
Que tú	quieras		puedas		juegues	
Que él/ella/usted	quiera		pueda		juegue	
Que nosotros/as	queramos		podamos		juguemos	
Que vosotros/as	queráis		podáis		juguéis	
Que ellos/ellas/ustedes	quieran		puedan		jueguen	

- Cambios de vocal **E > I, I > Y** en todas las personas:

	E > I		I > Y	
	Pedir		Construir	
Que yo	pida		construya	
Que tú	pidas		construyas	
Que él/ella/usted	pida		construya	
Que nosotros/as	pidamos		construyamos	
Que vosotros/as	pidáis		construyáis	
Que ellos/ellas/ustedes	pidan		construyan	

- Algunas excepciones:

	E > IE	O > UE
	Sentir	Dormir
Que yo	sienta	duerma
Que tú	sientas	duermas
Que él/ella/usted	sienta	duerma
Que nosotros/as	sintamos	durmamos
Que vosotros/as	sintáis	durmáis
Que ellos/ellas/ustedes	sientan	duerman

Funcionan como:
- **Sentir:** consentir, disentir, mentir, divertirse, advertir...
- **Dormir:** morir.

¡ATENCIÓN! Cambios ortográficos

- **ga / go / gu** ⇒ gue / gui. Ejemplo: *Jugar: juegue, juegues...*
- **ca / co / cu** ⇒ que / qui. Ejemplo: *Sacar: saque, saques...*
- **ge / gi** ⇒ ja / jo / ju. Ejemplo: *Coger: coja, cojas...*
- **za / zo / zu** ⇒ ce / ci. Ejemplo: *Gozar: goce, goces...*

c. Cambios en la raíz verbal que afectan a todas las personas

Infinitivo	1.ª persona presente de indicativo	Raíz verbal del presente de subjuntivo	Terminaciones del presente de subjuntivo
Tene**r**	yo tengo	teng-	
Ven**ir**	yo vengo	veng-	
Pone**r**	yo pongo	pong-	
Hace**r**	yo hago	hag-	+ -a / -as / -a / -amos / -áis / -an
Sal**ir**	yo salgo	salg-	
Dec**ir**	yo digo	dig-	
O**ír**	yo oigo	oig-	

d. Totalmente irregulares

	Ser	Estar	Ir	Haber	Saber
Que yo	sea	est**é**	vaya	haya	sepa
Que tú	seas	est**és**	vayas	hayas	sepas
Que él/ella/usted	sea	est**é**	vaya	haya	sepa
Que nosotros/as	seamos	est**e**mos	vayamos	hayamos	sepamos
Que vosotros/as	seáis	est**é**is	vayáis	hayáis	sepáis
Que ellos/ellas/ustedes	sean	est**én**	vayan	hayan	sepan

¡ATENCIÓN! El verbo *estar* es irregular solo por motivos fonéticos: pronunciamos con más fuerza las sílabas *-té, -tés* y *-tén*.

CLAVES

Unidad 1

1.1. 1. prefieren; 2. hay; 3. se mantiene; 4. gastan; 5. se va; 6. sigue; 7. muestran; 8. dice; 9. prefiere; 10. se levanta; 11. se levantan; 12. se levantan; 13. se acuestan.

1.2. 1. acostamos; 2. cierran; 3. tengo; 4. protegen; 5. prefiero; 6. divierten; 7. pensamos; 8. huelen; 9. recuerdo; 10. cuesta.

1.3. Según ➤ De acuerdo con; Además de ➤ Aparte de; Charlar ➤ Conversar mucho; Recursos ➤ Medios; Automoción ➤ Vehículo; Vivienda ➤ Casa; En cuanto a ➤ Referente a; Situarse ➤ Elegir una posición.

1.4. **OLER:** huelo, hueles, **huele**, olemos, oléis, huelen.

SOLER: suelo, sueles, suele, **solemos**, soléis, suelen.

ACOSTARSE: me acuesto, te acuestas, se acuesta, nos acostamos, os acostáis, **se acuestan.**

VESTIRSE: me visto, te vistes, **se viste**, nos vestimos, os vestís, se visten.

SEGUIR: sigo, sigues, sigue, **seguimos**, seguís, siguen.

REPETIR: repito, repites, repite, repetimos, repetís, **repiten.**

HUIR: huyo, huyes, **huye**, huimos, huis, huyen.

RECONOCER: reconozco, reconoces, reconoce, **reconocemos**, reconocéis, reconocen.

VALER: valgo, vales, vale, valemos, valéis, valen.

1.5. 1. construyen; 2. sirves; 3. pide; 4. suele; 5. huele; 6. cojo; 7. vienes; 8. salgo; 9. quieren; 10. pierde, se duerme.

1.6. 1. se despierta; 2. me ducho, me baño; 3. salen; 4. voy, me gusta; 5. tiene; 6. corrige; 7. quieres, prefiero; 8. me acuesto; 9. trabaja, duerme, estoy; 10. pedís; 11. vengo, pido, está; 12. juegan; 13. digo; 14. empiezas; 15. se siente, creo, está; 16. te sientas, te duele; 17. suelo, puedo; 18. comienzas; 19. cuestan; 20. cuentas; 21. encuentro, sabes, están; 22. Conozco, sabe; 23. cojo, hago; 24. pongo, me gusta; 25. sueña, tiene; 26. sé, canta; 27. Puedes, está; 28. se acuerdan, están; 29. Recuerdo; 30. compite.

1.7. a. que: DEPORTE; b. donde: VIVIENDA; c. que: IDEOLOGÍA; d. que: HÁBITO; e. que: LABORABLE.

1.8. a. que, 12; b. donde, 1; c. que, 9; d. que, 8; e. que, 4; f. donde, 6; g. que, 14; h. que, 11; i. que, 2; j. que, 5; k. que, 10; l. que, 3; m. donde, 7; n. donde, 13.

1.9. a. 1. Para empezar; 2. Sin embargo; 3. Asimismo; 4. por una parte; 5. por otra; 6. por tanto; 7. En resumen.
b. 1. Verdadero; 2. Falso; 3. Verdadero; 4. Verdadero.
c. 1. solo se dan; 2. te tiras; 3. puede parecer; 4. no; 5. quiero decir que.
d. a. besuqueo; b. invasor; c. roce; d. tocón.
e. a. tocar; b. invadir; c. rozar; d. besuquear.

Unidad 2

2.1. 1. es, es; 2. están; 3. es, está; 4. es; 5. Es; 6. Es; 7. Está; 8. está; 9. está; 10. está; 11. estamos, es; 12. es; 13. es; 14. es, es; 15. soy; 16. está; 17. estamos, 18. es, Son; 19. está, es; 20. es; 21. es.

2.2. 1. es, es; 2. estoy; 3. Están; 4. es; 5. es; 6. es; 7. está; 8. son; 9. está, está; 10. está; 11. está; 12. es; 13. son; 14. Está; 15. Están; 16. está; 17. es; 18. está; 19. estoy; 20. es, es; 21. está, Estoy; 22. es, está o está, es; 23. es; 24. Está; 25. ser; 26. estar; 27. es; 28. Estoy; 29. Estoy; 30. está, es.

2.3. 1. rico; 2. negro; 3. cerrado; 4. abierta; 5. abierta; 6. ricos/buenos; 7. bueno; 8. rica/buena; 9. cerrado.

2.4. 1. estoy; 2. estoy; 3. Estoy; 4. es; 5. está; 6. está; 7. es; 8. está; 9. está; 10. es.

2.5. 1. a, a; 2. de, a; 3. de, a; 4. de; 5. de; 6. a; 7. a, en.
1. destino; 2. origen; 3. origen; 4. origen; 5. destino.

2.6. 1. al; 2. al; 3. a; 4. a; 5. a; 6. para.

2.7. 1. Esta mañana he ido ~~en~~ a casa de Juan y no lo he encontrado; 2. Correcta; 3. El avión que está aterrizando llega ~~a~~ de Moscú; 4. Me gusta ir ~~en~~ a pie a la escuela; 5. Estoy enamorado ~~con~~ de Luisa; 6. Correcta; 7. Normalmente sueño ~~en~~ con árboles y jirafas; 8. Necesito ~~de~~ ir al baño; 9. –¿De dónde vienes?, –Vengo ~~a~~ de la playa; 10. Nunca he estado ~~a~~ en Cuba; 11. Después de cuatro meses vuelvo ~~en~~ a Holanda; 12. Los ejercicios son ~~por~~ para mañana; 13. Voy a pasar ~~en~~ por Barcelona ~~por~~ unos días; 14. Susana va ~~con~~ en metro todos los días; 15. No estoy ~~con~~ de acuerdo con Luis.

2.8. 1. ponerme, te pones, me queda; 2. Quedamos, quedamos, nos quedamos; 3. vestirte; 4. quedarme; 5. se cambia, se muda, se traslada; 6. pones, colocar, poner; 7. introducir, metes; 8. regalar, hago regalos.

2.9. 1. Está; 2. Soy; 3. es/eres; 4. Soy; 5. reconoces; 6. reconozco; 7. estás; 8. estoy; 9. (me) parece; 10. oigo; 11. es; 12. estoy; 13. acabo; 14. Me alegro; 15. empiezas; 16. sé; 17. Tengo; 18. Supongo; 19. empiezo; 20. va; 21. Sigo; 22. Te acuerdas; 23. tienes; 24. puedes; 25. Es; 26. atiendo; 27. hago; 28. pido; 29. me quejo; 30. estoy; 31. me entretengo; 32. me alegro; 33. quedamos; 34. Hace; 35. nos vemos; 36. Te parece; 37. nos vemos.

Unidad 3

3.1. 1. viajé; 2. conocimos; 3. habló; 4. estudió; 5. salieron; 6. bebí; 7. entramos, nos conocimos; 8. nació; 9. vivió; 10. compraron, pagaron; 11. vendió; 12. esperamos, apareció; 13. hablasteis; 14. bailé, se sentaron, se levantaron, salimos; 15. paseamos; 16. Acompañaste; 17. se mudó, 18. cambié; 19. volvieron; 20. te dormiste; 21. regresó; 22. compraste; 23. contaron; 24. llamé; 25. Gastó.

3.2. 1. vivió; 2. Nací; 3. trabajó; 4. terminó; 5. visité; 6. habló; 7. salí; 8. Preparé; 9. comenzó; 10. me cambié; 11. encontré; 12. Entró, volvió; 13. se gastó; 14. Sufrí; 15. compré.

3.3. 1. **Compró** (él): Tercera persona del pretérito indefinido; 2. **Salí** (yo): Primera persona del pretérito indefinido; 3. **Cené** (yo): Primera persona del pretérito indefinido; 4. **Pone** (él): Tercera persona del presente de indicativo; 5. **Canté** (yo): Primera persona del pretérito indefinido; 6. **Trabajó** (él): Tercera persona del pretérito indefinido; 7. **Ando** (yo): Primera persona del presente de indicativo; 8. **Sale** (él): Tercera persona del presente de indicativo; 9. **Viajé** (yo): Primera persona del pretérito indefinido; 10. **Dejó** (él): Tercera persona del pretérito indefinido.

3.4 1. fueron; 2. pusiste; 3. pudimos; 4. tuvo; 5. hubo; 6. cupisteis; 7. anduve; 8. nos puso; 9. fue, vino; 10. dijo; 11. llegaron, me trajeron; 12. Fuimos, conduje; 13. me dio, se fue; 14. pude; 15. anduvieron; 16. deshice; 17. detuvo; 18. trajiste, pusiste; 19. fue; 20. estuvimos.

3.5. 1. vino; 2. estuve, estuvo; 3. pudo; 4. tuve, hice; 5. dijo, dije; 6. trajo, puse; 7. supo; 8. se puso; 9. le di, me dio; 10. tuve.

3.6. 1. me acosté; 2. empieza; 3. engañó; 4. llamó; 5. tuvo; 6. me enfadé, me trajo; 7. actúo; 8. me prestó; 9. nos reunimos, hay; 10. tiene.

3.7. **Marcadores de presente:** normalmente, siempre, todos los días, los lunes, habitualmente, cada día, hoy.
Marcadores de pasado: ayer, anoche, el lunes pasado, anteayer, el otro día, en 1980, anteanoche, hace un año, el verano anterior.

3.8. 1. anduve; 2. dijo; 3. quisieron; 4. hizo; 5. compuso; 6. trajeron; 7. viajé; 8. fuimos; 9. supisteis; 10. pudimos; 11. rehíce/dijiste; 12. traje/encontré; 13. tuvo; 14. vino; 15. nació/murió.

3.9. **a.** **1.** fui; **2.** Me hospedé; **3.** conocí; **4.** me pareció; **5.** nadé; **6.** hice; **7.** asistí; **8.** fui; **9.** fui; **10.** disfruté; **11.** puse; **12.** fue; **13.** besaron; **14.** me mordió; **15.** fui; **16.** nacieron; **17.** Estuve; **18.** me encantó; **19.** tuve.

b. Falso; Verdadero; Verdadero; Falso.

c. **Alojarse:** Hospedarse; **Nunca:** Jamás; **Mujeres jóvenes:** Muchachitas; **Bonitas:** Lindas.

d. **Léxico del cuerpo que aparece en el texto:** Espaldas, cara, hombro.
Partes del cuerpo: rodilla, tobillo, cintura, codo, cuello, ceja, frente.

e. **Léxico de animales que aparece en el texto:** delfines, pelícano.
Animales: Foca, pato, rana, yegua, camello, mariposa.

Unidad 4

4.1. **1.** abierto; **2.** puesto; **3.** dicho; **4.** roto; **5.** descrito; **6.** hecho; **7.** descubierto; **8.** visto; **9.** muerto; **10.** vuelto.

4.2. **a.** **Verbo + algo: querer,** beber, tener, encender, pensar, saber, hacer.
Verbo + a alguien: llamar, invitar, saludar, sonreír, matar.
Verbo + algo + a alguien: enviar, explicar, decir, prestar, robar, pedir.

4.2. **b.** **1.** a; **2.** j; **3.** d; **4.** h; **5.** g; **6.** e; **7.** c; **8.** i; **9.** f; **10.** b.

4.3. **1.** No, no las he probado todavía. No, todavía no las he probado; **2.** Sí, ya las he regado; **3.** Sí, ya la he llamado; **4.** No, no lo hemos escrito todavía. No, todavía no lo hemos escrito; **5.** Sí, ya los ha hecho; **6.** No, no lo he limpiado todavía. No, todavía no lo he limpiado; **7.** No, no lo hemos comprado todavía. No, todavía no lo hemos comprado; **8.** Sí, ya han venido; **9.** Sí, ya la he sacado; **10.** Sí, ya he estado (en Rumanía).

4.4. **1.** se las; **2.** te lo; **3.** lo; **4.** os lo/ nos lo; **5.** os las; **6.** nos lo; **7.** se lo; **8.** Le; **9.** la; **10.** te la.

4.5. **1.** Se lo he prometido; **2.** ¿Puedes ayudarla?; **3.** Nos lo hemos comprado; **4.** Juan le ha llamado y se lo ha pedido; **5.** Necesito tomarla antes de ir a dormir; **6.** Mis amigos me la han organizado; **7.** Tengo que fotocopiarlos; **8.** Se lo he dicho y se ha enfadado; **9.** ¿Os lo ha traído (el camarero)?; **10.** ¿Nos la ha devuelto (María)?

4.6. **1.** Juan ya le ha devuelto el libro a Pablo; **2.** Correcta; **3.** El bolso lo he comprado en París; **4.** Le he dicho a Juan que puede venir a mi fiesta; **5.** Ángel se lo ha contado a Sara; **6.** La película la he visto esta semana, es muy buena; **7.** Correcta; **8.** Las naranjas están muy buenas, ¿dónde las has comprado?; **9.** El perro de Sofía es muy pequeño, se lo encontró en la calle; **10.** Correcta; **11.** Paca está fenomenal, la he visto hace poco; **12.** Correcta; **13.** Correcta; **14.** Le he dicho que no puede volver a faltar a clase; **15.** Correcta; **16.** Correcta; **17.** Le he comentado a Luisa que Carlos no va a poder ayudarla; **18.** No pienso hacerlo. Este ejercicio es muy difícil; **19.** ¿Has visto a Juan recientemente? Está mal, llámalo; **20.** Se lo he pedido a Silvia porque María no tiene ordenador.

4.7. **1.** Esta mañana me he encontrado con Sonia. Le he contado mi problema y me ha dicho que va a ayudarme; **2.** El pastel lo ha hecho mi madre. Yo la he ayudado; **3.** Me he comprado un vestido azul. Me queda grande así que voy a llevárselo a la modista; **4.** Andrés está enfermo. Ayer lo llamé y me dijo que no va a venir a trabajar; **5.** Esta semana he invitado a comer a Juan tres veces porque no tiene dinero; Ha pedido un préstamo a su padre pero no puede dárselo hasta la semana que viene.

4.8. **a.** **¿Qué te ha parecido la nueva película de Julio Medem?**

☺	☺	☹
estupenda, fantástica, increíble, genial	normal, ni fu ni fa, así así	un bodrio, horrible, muy mala, así así, aburridísima

¿Cómo te lo has pasado en la fiesta?

☺	☺	☹
de fábula, de muerte, bomba, de vicio, muy bien, de miedo	regular, ni fu ni fa, más o menos	de pena, horrible, fatal

b. 1. un bodrio; **2.** de muerte; **3.** ni fu ni fa; **4.** aburridísima; **5.** fantástico.

4.9. **a. 1.** hemos tenido; **2.** hemos salido; **3.** hemos bailado; **4.** hemos dormido; **5.** nos hemos acostado; **6.** Ha sido; **7.** hemos visto; **8.** hemos entrado; **9.** han dicho; **10.** hemos tenido; **11.** hemos conocido; **12.** han llevado; **13.** he engordado; **14.** he parado; **15.** ha sido; **16.** ha pasado; **17.** hemos desayunado; **18.** han robado; **19.** hemos ido; **20.** he puesto; **21.** hemos ido; **22.** han atracado; **23.** ha dado; **24.** ha perdido; **25.** has hecho.

b. 1. Falso; **2.** Falso; **3.** Verdadero; **4.** Verdadero.

c. 1. De muerte: Fenomenal, genial; **2. Garito:** Bar; **3. Atracar:** Robar; **4. A las tantas:** Muy tarde; **5. No parar de:** No dejar de; **6. De pena:** Muy mal; **7. Hay mucho ambiente:** Hay mucha gente divirtiéndose, hay mucha marcha, fiesta.

d. Nos lo estamos pasando de maravilla, ha sido muy divertido, La Alhambra es preciosa, los tablaos flamencos de Sacromonte... son estupendos, hemos conocido a unos gaditanos simpatiquísimos, aquí cocinan de muerte, ha sido un día de pena.

Unidad 5

5.1. **a. 1.** fue; **2.** nació; **3.** representó; **4.** Criticó; **5.** nació; **6.** se conocieron; **7.** se casaron; **8.** abandonó; **9.** llamó; **10.** apareció; **11.** se publicó; **12.** tuvo; **13.** comenzó; **14.** empezó; **15.** nació; **16.** se tradujeron; **17.** vendieron; **18.** se despidió; **19.** volvió; **20.** fue.

b. Entrañable: Tierno; **Tebeo:** Cómic; **Fe:** Confianza; **Sopa:** Comida líquida y caliente; **En homenaje:** En honor; **Tira:** Sucesión de viñetas de cómic; **Reelegir:** Volver a elegir.

5.2. **1.** prefirieron; **2.** mentisteis; **3.** pidió; **4.** oyó, dijimos; **5.** elegimos; **6.** construyó, fueron; **7.** dormimos; **8.** distribuyeron; **9.** incluyeron; **10.** destruyeron; **11.** murió; **12.** fue, cayó; **13.** leí, me divertí; **14.** pediste; **15.** huyó, pudo; **16.** pedí, sirvió; **17.** incluyó; **18.** influyó; **19.** nos sentimos; **20.** se convirtió, leyó; **21.** preferimos, nos acostamos, dormimos; **22.** durmió, dormí; **23.** mintió, me pareció; **24.** midió; **25.** distribuyeron.

5.3. **1.** fui, me gustó; **2.** estuvimos, preferimos; **3.** cogí, sirvió, se cayó, se rompió, tuve; **4.** pidió, hice; **5.** huimos, vinimos; **6.** hubo, fue, me di; **7.** supimos; **8.** cupo; **9.** anduvimos; **10.** dijo, condujo; **11.** trajimos, fue; **12.** me contuve, quise; **13.** compuso; **14.** se fue, rehízo; **15.** pusisteis, nos morimos; **16.** pudieron, nos vimos; **17.** vinieron; **18.** se agotaron, repusieron; **19.** hubo; **20.** trajo.

5.4. **1.** En 1997 me fui a vivir a Ginebra y un año más tarde/ un año después/ después de un año/ al cabo de un año/ al año siguiente volví a mi ciudad; **2.** A las tres puse el pollo en el horno y una hora más tarde/ una hora después/ después de una hora/ al cabo de una hora/ a la hora siguiente ya estaba hecho; **3.** El martes pasado viajamos a Londres y tres días más tarde/ tres días después/ después de tres días/ al cabo de tres días/ a los tres días visitamos la Tate Gallery; **4.** En 1998 comencé mis estudios y cuatro años más tarde/ cuatro años después/ después de cuatro años/ al cabo de cuatro años/ a los cuatro años los terminé; **5.** En marzo nos mudamos de casa; ocho meses más tarde/ ocho meses después/ después de ocho meses/ al cabo de ocho meses/ a los ocho meses nos volvimos a mudar; **6.** A las cuatro de la tarde salí del trabajo; cinco horas más tarde/ cinco horas después/ después de cinco horas/ al cabo de cinco horas/ a las cinco horas quedé con mi hermano en el Café Comercial; **7.** En febrero de 2000 empecé a trabajar; un año más tarde/ un año después/ después de un año/ al cabo de un año/ al año siguiente dejé el trabajo; **8.** En otoño de 2002 hice un curso de informática; casi un año después/ después de casi un año/ casi un año más tarde hice un curso parecido; **9.** En 1993 me trasladé a Dublín; dos años más tarde/ dos años después/ después de dos años/ al cabo de dos años/ a los dos años me fui a vivir a Amsterdam y tres años más tarde/ tres años después/ después de tres años/ al cabo de tres años/ a los tres años volví a Sevilla; **10.** El domingo llamé a Clara pero no estaba y le dejé un mensaje. Dos días más tarde/ dos días después/ después de dos días/ al cabo de dos días/ a los dos días me llamó y quedamos para cenar.

5.5. **1.** al cabo de tres años; **2.** cinco días después; **3.** al cabo de dos años; **4.** Correcta; **5.** al cabo de dos años; **6.** al cabo de tres horas; **7.** a los cinco meses; **8.** Correcta; **9.** Correcta; **10.** Correcta.

5.6. **a. 1.** Nació; **2.** se trasladó; **3.** comenzó; **4.** Debutó; **5.** actuó; **6.** colaboró; **7.** protagonizó; **8.** participó; **9.** fue; **10.** se fue; **11.** compartió; **12.** rodó; **13.** trabajó; **14.** conoció; **15.** tuvo; **16.** debutó.

b. 1. En 1986 protagonizó "La ley del deseo" junto a Carmen Maura y dos años más tarde/ dos años después/ después de dos años/ al cabo de dos años, a los dos años participó en "Mujeres al borde de un ataque de nervios"; **2.** En 1991 se fue a vivir a Los Ángeles y un año más tarde/ un año después/ después de un año/ al cabo de un año/ al año compartió rodaje con Tom Hanks en "Philadelphia"; **3.** En 1995 trabajó con el director Fernando Trueba en "Two Much" y ese mismo año conoció a su actual mujer, Melanie Griffith con la que tuvo una hija.

PRISMA DE EJERCICIOS. CLAVES

5.7. a. **1.** b; **2.** f; **3.** d; **4.** c; **5.** e; **6.** a.

b. **1.** a; **2.** c; **3.** b; **4.** a; **5.** c; **6.** c.

c. **1.** desconfiar; **2.** enloquecer; **3.** enternecerse; **4.** emocionarse; **5.** arrepentirse; **6.** sorprenderse.

d. Un rey, desconfiado de las mujeres, se enamoró perdidamente de una pastorcita, llamada Griselda. Loco de amor, decidió casarse con ella, así que fue a pedirle la mano al padre, quien aceptó sorprendidísimo y emocionadísimo. A los pocos días se casaron y, unos meses después, tuvieron una hija; le pusieron de nombre Esperanza.

Al cabo de un tiempo, un día, el rey vio a Griselda hablando con un pastor y, enloquecido por los celos, ordenó matarlo. Para castigarla a ella, la expulsó del palacio, y además le arrebató a su hija Esperanza y la entregó en un convento. Pero Griselda tuvo suerte porque una anciana mujer, que vio la entrega de la niña, le reveló el paradero de su hija y pudo seguir viéndola a escondidas. El rey, por su parte, no volvió a verla más porque así se lo pidieron los monjes del convento en el momento de entregarla. Dieciocho años más tarde, el rey volvió a enamorarse de otra mujer mucho más joven que él. Pero esta vez no llegó a casarse con ella porque descubrió la identidad de la joven cuando un día la vio hablando con Griselda. En ese momento el rey se dio cuenta del enorme parecido de ambas mujeres y lo comprendió todo cuando las vio abrazarse con lágrimas en los ojos. El rey, arrepentido, les pidió perdón. Ellas, enternecidas, lo perdonaron y aceptaron volver a vivir con él. El resto de sus vidas fueron felices y comieron perdices.

Unidad 6

6.1 **1.** buena/gran; **2.** gran; **3.** primero; **4.** Primero; **5.** tercero, primero; **6.** tercer; **7.** mal; **8.** mala; **9.** malo; **10.** mal; **11.** mala; **12.** buen; **13.** bueno; **14.** buena; **15.** gran/buena, primera; **16.** tercer; **17.** buena; **18.** gran/buen, bueno; **19.** mala; **20.** buen.

6.2. **1.** Correcta; **2.** Correcta; **3.** Es un gran libro, tienes que leerlo; **4.** Ayer tuve un mal sueño, una pesadilla. Fue horrible, me desperté a medianoche; **5.** Correcta; **6.** Correcta; **7.** El primer día en Barcelona lo pasé muy bien; **8.** Tengo una buena idea: ¿Nos vamos de excursión a Toledo?; **9.** Ahora Ferrero va el primero en la clasificación y Costa el tercero, es impresionante; **10.** ▷ Es un buen restaurante y no es muy caro. Podemos ir a cenar el sábado. ▶ No es un mal plan, vale.

6.3. **1.** tan; **2.** tan; **3.** tan; **4.** tantos; **5.** tanto; **6.** tan; **7.** tantas; **8.** tantos; **9.** tan; **10.** tantas; **11.** tanta; **12.** tantas; **13.** tanto; **14.** tanta; **15.** tan; **16.** tan; **17.** tan, tanto; **18.** tantos; **19.** tan; **20.** tan.

6.4. **1.** Correcta; **2.** Lola tiene tantos problemas que no sabe por dónde empezar; **3.** Concha está tan contenta como nosotros por el viaje; **4.** Correcta; **5.** Patricia ha viajado tantas veces como tú; **6.** Yo peso cuatro kilos más que tú; **7.** Correcta; **8.** Correcta; **9.** Correcta; **10.** U2 son menos interesantes que Radiohead; **11.** Correcta; **12.** Correcta; **13.** Correcta; **14.** Correcta; **15.** Minerva es mayor que su hermano; **16.** Paloma es tan guapa como Isa; **17.** Correcta; **18.** El café de Brasil es mejor que el italiano; **19.** Correcta.

6.5. Posibles respuestas: Gael tiene los ojos más grandes que Javier; Gael es más guapo que Javier; Gael me gusta más que Javier; Javier parece más simpático que Gael; En la foto Javier está más contento que Gael; Javier es tan buen actor como Gael.

6.6. **1.** café, bueno; **2.** vestido, bonito; **3.** chico, simpático; **4.** perro, gracioso; **5.** mujer, guapa; **6.** película, triste; **7.** libro, aburrido; **8.** zapatos, elegantes; **9.** amigos, idiotas.

6.7. a. **1.** c; **2.** e; **3.** h; **4.** j; **5.** f; **6.** b; **7.** g; **8.** d; **9.** i; **10.** a; **11.** k.

b. **1.** ¡Qué falda tan mona!; **2.** ¡Qué vecinos tan pesados!; **3.** ¡Qué camisa tan sexy!; **4.** ¡Qué dientes tan blancos!; **5.** ¡Qué pelo tan largo!; **6.** ¡Qué artículo tan aburrido!; **7.** ¡Qué música tan relajante!; **8.** ¡Qué cocina tan limpia!; **9.** ¡Qué pantalones tan estrechos!; **10.** ¡Qué ojos tan azules!; **11.** ¡Que sofá tan cómodo!

6.8. **1.** María dice que está harta de trabajar; **2.** Juan asegura que no tiene dinero; **3.** Ramón me cuenta que sus padres van a comprarse una casa; **4.** Ellos dicen que mañana se van de vacaciones, **5.** Clara dice que se ha olvidado de llamar a Diego; **6.** Diego dice que Clara no le llamó ayer; **7.** Dolores me pregunta si quiero comer con ellos; **8.** Iván le pregunta a Tomás (que) dónde ha conseguido esa moto; **9.** Juana me pregunta si sé ir a casa de Adrián; **10.** Celia nos pregunta (que) cuándo nos llamó Óscar; **11.** Felipe me dice que mi decisión es muy importante; **12.** Carolina pregunta si alguien sabe dónde están sus gafas; **13.** Leo me explica que ayer le contó a Felipe su problema y no pudo ayudarlo; **14.** Soledad dice que ahora no puede porque está escuchando las noticias.

6.9. a. y b. • **Sorpresa, incredulidad:** ¡No me lo puedo creer!; ¡Es increíble!; ¿En serio?; ¡Qué raro!; ¡No me digas!; ¿Qué me dices?; ¿De verdad?; Anda anda.

           • **Negación rotunda:** No, hombre, no; ¡Ni hablar!; ¡Ni soñarlo!

           • **Decepción, lamentarse:** ¡Vaya, cuánto lo siento!; ¡Qué pena!; Lo siento; Lo lamento; ¡Vaya por Dios!

           • **Expresar entuasiasmo o interés:** ¡Qué alucinante!; ¡Qué bien!; ¡Qué interesante!; ¡Qué maravilla!

           • **Expresar aburrimiento:** Un tostonazo; Un rollo; ¡Qué soso!

           • **Hacer un cumplido:** Es una pasada; ¡Qué guapo estás!; ¡Que elegante vienes!

           • **Responder a un cumplido:** No es para tanto; Quita, quita; Anda, anda.

       c. **1.** d; **2.** c; **3.** b; **4.** a; **5.** e;

Unidad 7

7.1. **1.** era, tenía, se llamaba, jugábamos, era, podía; **2.** veía, fregaba, terminaba; **3.** paseaba; **4.** ibais; **5.** iba, conocía, salía, lo pasaba, hablaba; **6.** solían, les gustaba, les interesaba.; **7.** tenía, cogía, llevaba, se ponía, castigaba, le daba, volvía, encontraba; **8.** tenían, adoraban, llevaban, odiaban, iban; **9.** hacíamos, Cantábamos, bailábamos, sufría, me gustaba, me ponía, lloraba; **10.** era, Tenía, había, estaba, buscábamos, me encantaba; **11.** estaba, tenía, le dolía, estornudaba; **12.** decidíamos, Era; **13.** estudiaba, trabajaba; **14.** vivíais; **15.** estudiabais, sacabais, era; **16.** tenías, eras, llevabas; **17.** era, bebía; **18.** era, iba, me pasaba, escuchábamos, nos reíamos; **19.** quería; **20.** vivíamos, teníamos, podíamos, íbamos, cenábamos, éramos.

7.2. **1.** era/parecía; **2.** jugaba; **3.** sentía; **4.** era/iba; **5.** costaba; **6.** dormíamos; **7.** pedía; **8.** jugaba; **9.** tenían/tocaban; **10.** gustaba/eras.

7.3. **1.** existían, tiene; **2.** lavamos, lavaban; **3.** había, quedan; **4.** viaja, iban; **5.** era, es; **6.** luchaban, son; **7.** tiene, guardaban; **8.** enviaba, escribimos; **9.** podían, estudia; **10.** jugaban, se divierten.

7.4. **1.** leía; **2.** salía; **3.** dormía; **4.** sacábamos; **5.** compraban; **6.** sonaba; **7.** Hacía; **8.** Estábamos; **9.** estaba; **10.** Roncaba.

7.5. a. **1.** d; **2.** a; **3.** c; **4.** b; **5.** e.
     b. **1.** c; **2.** b; **3.** a; **4.** e; **5.** d.

7.6. **1.** solíamos, salíamos; **2.** solía, se levantaba; **3.** solíais, ibais; **4.** solían, venían; **5.** solía, bebía; **6.** solías, caminabas; **7.** solían, veraneaban; **8.** solía, veía; **9.** solías, hacías; **10.** solía, se hacía.

7.7. a. **1.** era; **2.** iban; **3.** lo hacían; **4.** Compraba; **5.** olvidaba; **6.** era; **7.** era; **8.** cambiaba; **9.** cambiaba; **10.** cambiaba; **11.** cambiaba; **12.** era; **13.** llegaba; **14.** era; **15.** buscaba; **16.** Dormía; **17.** encontraba; **18.** había; **19.** tocaba; **20.** había; **21.** fumaba; **22.** sacaba; **23.** andaban; **24.** era; **25.** iban; **26.** era; **27.** era; **28.** Dormía; **29.** encontraba; **30.** Había; **31.** tocaba; **32.** había; **33.** fumaba; **34.** sacaba; **35.** andaban; **36.** era.

     b. **1.** Falso; **2.** Falso; **3.** Verdadero; **4.** Verdadero.

     c. **1.** b; **2.** c; **3.** a; **4.** c; **5.** b; **6.** b.

     d. **1.** El importe; **2.** La mili; **3.** El oficio; **4.** Un tipo; **5.** La frontera.

Unidad 8

8.1. **1.** hemos comprado; **2.** fui; **3.** he conocido; **4.** has visitado; **5.** estuvieron; **6.** traje, encontré; **7.** tuvo; **8.** he estudiado; **9.** has probado; **10.** pidió; **11.** hice; **12.** alquilamos; **13.** habéis viajado; **14.** fue, eligió; **15.** ha roto; **16.** fuimos, condujimos; **17.** vinieron, tuve; **18.** pude, cobré; **19.** has viajado; **20.** ha querido (está vivo) / quiso (está muerto).

8.2. **1.** a; **2.** b; **3.** b; **4.** c; **5.** c; **6.** b; **7.** c; **8.** c; **9.** a; **10.** b.

8.3. **1.** me acosté, estaba; **2.** vivieron, querían; **3.** tenía, se cayó, se rompió, pudo; **4.** era, corría, dejó, le gustaba; **5.** se conocieron, se casaron, eran, tenía; **6.** tuvimos, estaba, tenía, era, tenían; **7.** sufristeis, os pasó, Fue, llevabas; **8.** vivía, descubrí, era, iba, veía, supe, quería; **9.** me enteré, estaba, me trasladé, cuidé, mejoró; **10.** salimos, estuvimos, Lo pasamos, entramos, nos fuimos, ponían, había, nos gustaba, Decidimos, encontramos, bailamos; **11.** vino, vi, estaba, llevaba, Me pareció, se sentía; **12.** estudiaron, se conocieron, se encontraron, descubrieron, eran; **13.** cambió, estaba, trabajaba, ganaba; **14.** fue, había, era, bailaba, vino, me aburrí; **15.** viajó, le encantó, era, quería, estuvo, buscó, encontró, volvió; **16.** sabía, se puso, le apasionaba, se convirtió; **17.** visitasteis, vivía, era, vivíais, estábamos; **18.** eras, jugabas, pegabas, te peleabas, sorprendió, castigó; **19.** éramos, nos llevábamos, éramos, se enfadó, le gustaba, se pasó; **20.** estuve, Fue, Conocí, aprendí, me aburrí, tenía, iba, quedaba, estudiaba, salía, visitaba.

8.4. **1. Correcta; 2.** suspendió, estudió; **3.** tenía; **4.** ha sido; **5.** era, se llamaba, quería, era; **6.** era, estaba, tenía, se aburría; **7. Correcta; 8. Correcta; 9.** fue, era; **10.** he visto, se ha metido; **11. Correcta; 12.** tenía, me atropelló, me llevaron; **13.** eran, me llevaba, me parecían; **14. Correcta; 15.** tenía; **16.** ibais, teníais; **17. Correcta; 18.** estaba; **19.** esperaba, se llevaban, parecían; **20.** usaba, tenía; **21.** comprendí; **22.** tenía, sabía; **23.** me caí; **24.** pudimos; **25.** tenía, se marchó, supieron; **26. Correcta; 27. Correcta; 28.** os conocí; **29. Correcta; 30.** tenía, estaba.

8.5. **a. 1.** se conocieron; **2.** se casaron; **3.** Fue; **4.** se sucedieron; **5.** tuvieron; **6.** cogieron; **7.** llevó; **8.** paró; **9.** se durmió; **10.** era; **11.** fumaba; **12.** leía; **13.** parecía.

b. 1. e; **2.** d; **3.** a; **4.** b; **5.** c.

c. 1. el conocimiento; **2.** la decisión; **3.** el pensamiento; **4.** la parada; **5.** la lectura; **6.** la información; **7.** la resolución; **8.** el intercambio; **9.** el ansia; **10.** el deseo.

8.6. **1. En 1958; 2.** Después de (tras); **3.** diez años después de su nacimiento; **4.** A partir de la muerte de; **5.** después de (tras); **6.** En las elecciones de 1977; **7.** Desde entonces; **8.** hasta que; **9.** en septiembre de 1982; **10.** Desde hace; **11.** Desde 1978... hasta.

Unidad 9

9.1. **1.** nació, era, parecía, era; **2.** he ido/quería/pude; **3.** he tenido, he perdido, he ido, me he caído, llovía, llevaba, me he mojado; **4.** vi, compraba/estaba comprando, estaba tomando, llamamos, se sentó, apareció, nos fuimos; **5.** estábamos, salimos, tenía, quería, nos quedamos, hicimos; **6.** era, tenía, creció, se volvió, empezó; **7.** tuvieron, conducía, se hizo, sufrió; **8.** estaban pensando/pensaban, eran, decidieron, podían, encontraron, vi, estaban; **9.** cambió, ganaba; **10.** tuvimos, hacían, encendían, hablaban, ponían; **11.** regresó, necesitaba; **12.** Sabías, ha vendido, estaba; **13.** teníais, se llamaba, se murió; **14.** estuvo, cogió, se puso, Tuvo, llamé, se encontraba, dijo, estaba; **15.** he visitado, se mudó, ha invitado, he hecho; **16.** nos separamos, éramos, nos gustaban, hemos quedado/quedamos; **17.** ha cambiado, le ha pasado, quedaba, salía, llamaba, se ha encerrado; **18.** cruzaba/estaba cruzando, me atropelló, fue, me asusté; **19.** ha dejado, estaba, podía, iba, aprobaba; **20.** estudiamos, nos conocimos, coincidimos.

9.2. **1.** estaba esperando, me encontré, estaba hablando, apareció, me vio, se cabreó; **2.** me lo pasé, hicieron, Estaba volviendo/volvía, llamó, tenía, esperaba, llegué, estaban esperando, acabó, estuve durmiendo; **3.** estuvimos, hizo, estaba caminando, sentí, estaban, tuvimos, podía, lo pasé; **4.** se ha roto/se rompió, Fue, Estábamos, se sentó, se rompió, se cayó, Nos reímos, Fue, se estaba levantando/se levantó, se torció; **5.** te he contado, tuvimos, estaba lloviendo/llovía, estaba frenando/frenaba, derrapó, nos pasó, me di, estuve llorando.

9.3. **1. Correcto; 2.** Esta mañana me he mareado porque ~~hizo~~ hacía mucho calor; **3.** Mi hermana se casó con un hombre que ~~fue~~ era de Perú y dos años después se divorciaron; **4. Correcto; 5. Correcto; 6.** ~~Empezaba~~ Empezó a llover mientras yo estaba esperando el tren en la estación; **7. Correcto; 8.** Como no ~~tuve~~ tenía muchas ganas, no acompañé a Iván al mercado; **9. Correcto; 10.** Solo ~~recibí~~ he recibido una carta de amor en toda mi vida.

9.4. **1.** fue; **2.** arremetió; **3.** se encontraba; **4.** produjo; **5.** pretendía; **6.** pudo; **7.** intentó; **8.** golpeó; **9.** ha hecho; **10.** ha estado; **11.** han dado.

9.5. **1.** C; **2.** D; **3.** B; **4.** A.

9.6. El lunes de la semana pasada me levanté a las ocho, me hice un café, me duché y me vestí; salí de casa a las ocho y media, tardé cuarenta minutos en llegar a clase, en el autobús fui/ iba leyendo aunque no muy bien porque estaba lleno de gente. Estuve en la facultad desde las nueve y media hasta las dos, pero no fui a todas las clases porque estaba cansada. Después, Helena y yo comimos en un bar cercano que era muy barato y más tarde tomamos un café en la cafetería Donato. Llamamos a Vera porque queríamos verla pero no estaba en casa. Mientras dábamos un paseo, Helena me comentó que estaba trabajando los domingos como guía turística, que le gustaba mucho y que los turistas eran muy simpáticos con ella. Yo le dije que estaba muy ocupada con la obra de teatro que estábamos montando y que estudiaba el papel por las noches y ensayaba los sábados.

Volvimos a llamar a Vera pero no pudimos localizarla. Decidimos ir al cine, pero la película no era muy buena; no nos gustó. A las nueve volví a casa, pero como había mucho tráfico llegué muy tarde. Cené con mi hermano, que estaba muy hablador, y me dijo que iba a ir a un concierto de un grupo que le gustaba mucho. Poco después, me lavé los dientes y me acosté pronto porque tenía mucho sueño. Leí un poco, pero enseguida apagué la luz y me dormí.

9.7. **a.** 5, 3, 2, 4, 1.

b. 1. b; **2.** c; **3.** a; **4.** e; **5.** d.

Unidad 10

10.1. **1.** dirá, guardará; **2.** volveremos; **3.** podré, iré; **4.** habrá, estudiarán; **5.** lloverá, disfrutará; **6.** viajaremos; **7.** sabrá, contaré; **8.** cogeré, dejaré; **9.** tendrá; **10.** tendrá, me la quedaré; **11.** seremos, romperemos, cuidaremos; **12.** Saldrás, te vendrá; **13.** podrá, ahorrará; **14.** tendrán; **15.** estarán, vendrán; **16.** seréis, tendréis; **17.** será, bajarán, hará; **18.** será, realizarán, conocerán, harán; **19.** jugaré, volveré; **20.** querrá, se lo preguntaré; **21.** pondrán, me quedaré, saldré; **22.** será, valdrá; **23.** habrá, tardaremos; **24.** cabrá, tendremos; **25.** podremos, estaremos.

10.2. **1.** Correcta; **2.** tendrá; **3.** querrá; **4.** Correcta; **5.** Correcta; **6.** Correcta; **7.** vendrán; **8.** Correcta; **9.** iré; **10.** diréis; **11.** Correcta; **12.** Sabrá; **13.** tendré; **14.** estudio; **15.** diré; **16.** habrá; **17.** Correcta; **18.** Correcta; **19.** Correcta; **20.** pondrán; **21.** valdrá; **22.** llego; **23.** Correcta; **24.** cabrán; **25.** Correcta; **26.** Correcta; **27.** Correcta; **28.** saldrán; **29.** Correcta; **30.** quiero; **31.** Correcta; **32.** Correcta; **33.** Correcta; **34.** saldré; **35.** Correcta; **36.** tiene; **37.** Correcta; **38.** Correcta; **39.** sabe; **40.** Correcta.

10.3. **2.** tener, tengo; **3.** valer, vale; **4.** decir, decís; **5.** poder, pueden; **6.** saber, sabemos; **7.** venir, vienes; **8.** salir, salimos; **9.** hacer, hago; **10.** caber, caben; **11.** poner, pongo; **12.** querer, queremos; **13.** haber, hay; **14.** decir, decimos; **15.** venir, vengo.

10.4. **1.** Está; **2.** Me parece, es; **3.** ganará; **4.** llamará; **5.** utilizarán, valdrán; **6.** están/estarán; **7.** serán; **8.** tendrá; **9.** Ha sido; **10.** sabrá, es; **11.** voy, podré, se enfadará; **12.** Me iré/Me voy, llegará; **13.** como, me duele.

10.5. **a. 1.** dará; **2.** compraré; **3.** rodearán; **4.** invertiré; **5.** engordará; **6.** crecerá; **7.** llevaré; **8.** sacaré; **9.** compraré; **10.** saltarán; **11.** correrán.

b. El futuro es algo incierto, por eso hay que ser cuidadoso.

c. 1. i; **2.** d; **3.** b; **4.** f; **5.** g; **6.** c; **7.** j; **8.** h; **9.** a; **10.** e.

d. 1. toro; **2.** jirafa; **3.** tortuga; **4.** delfín; **5.** ballena; **6.** tiburón; **7.** loro; **8.** ratón; **9.** yegua; **10.** conejo.

e. 1. c; **2.** e; **3.** f; **4.** h; **5.** a; **6.** b; **7.** d; **8.** j; **9.** i; **10.** g; **11.** m; **12.** n; **13.** l; **14.** k.

Unidad 11

11.1. **1.** Nos traería; **2.** me iría, desconectaría; **3.** serían; **4.** Le importaría; **5.** acercarías; **6.** vendría; **7.** seríamos; **8.** Podría; **9.** Sería; **10.** Deberías; **11.** hablaría, arreglaría; **12.** Te molestaría; **13.** valdría; **14.** diría; **15.** Tendrías; **16.** dejarías; **17.** volvería, daría; **18.** les encantaría; **19.** Les importaría; **20.** Debería, sería; **21.** Deberíais, tendría; **22.** le entusiasmaría; **23.** tendríamos, sería; **24.** llevaría, tendría; **25.** pasaría, sería, diría, se enfadaría.

Usos: - Expresar cortesía: 1, 4, 5, 8, 12, 16, 19.
- Dar consejo: 2, 10, 11, 14, 15, 17, 20, 21.
- Expresar deseo: 6, 18, 22.
- Expresar probabilidad: 3, 7, 9, 13, 23, 24, 25.

11.2. **1.** Tendría; **2.** Le importaría; **3.** Te molestaría; **4.** Podría; **5.** Sabría; **6.** Tendría; **7.** Tendrías; **8.** Me darías; **9.** Me pondrías; **10.** Me traería; **11.** Te importaría; **12.** Podría; **13.** Sabría; **14.** Me dejarías; **15.** Podrías; **16.** Me prestarías; **17.** Te importaría; **18.** Me pasarías; **19.** Podría; **20.** Querría.

11.3. **a.** **1.** Saldrían; **2.** Habría; **3.** Dormiríais; **4.** Viviríamos; **5.** Haría; **6.** Dirían; **7.** Valdría; **8.** Sabrías; **9.** Pensaríamos; **10.** Cabría; **11.** Querríais; **12.** Tendrías; **13.** Volverías; **14.** Cabríamos; **15.** Seríamos; **16.** Estaría; **17.** Estudiaríais; **18.** Vendría; **19.** Hablaríamos; **20.** Pondría.

b. **1.** Saldrían (3.ª persona plural); **2.** Habría (3.ª persona singular); **3.** Dormiríais (2.ª persona plural); **4.** Viviríamos (1.ª persona plural); **5.** Haría (1.ª y 3.ª persona singular); **6.** Dirían (3.ª persona plural); **7.** Valdría (1.ª y 3.ª persona singular); **8.** Sabrías (2.ª persona singular); **9.** Pensaríamos (1.ª persona plural).

11.4. **1.** llegaríamos; **2.** sería; **3.** Correcta; **4.** Podrías; **5.** pasaría; **6.** Les importaría; **7.** Tendríamos; **8.** serían; **9.** Correcta; **10.** Correcta; **11.** Correcta; **12.** vendrían; **13.** haría; **14.** Correcta; **15.** Correcta; **16.** Correcta; **17.** Correcta; **18.** Correcta; **19.** valdría; **20.** Saldría.

11.5. **1.** Un perro; **2.** Un cura; **3.** Una flor; **4.** Un médico; **5.** Un don Juan; **6.** Una bruja; **7.** Un mendigo; **8.** Una feminista; **9.** Un niño; **10.** Un hippie.

11.6. **a.** **1.** Deberías; **2.** dejaría; **3.** pediría; **4.** golpearía, pondría; **5.** rompería; **6.** Podrías; **7.** me preocuparía; **8.** buscaría; **9.** Tendrías; **10.** reuniría, diría.

b. **1.** A; **2.** E; **3.** C; **4.** H; **5.** B; **6.** I; **7.** D; **8.** G; **9.** J; **10.** F.

Unidad 12

12.1. **2.** lee, lea, leed, **lean**; **3.** vive, **viva**, vivid, vivan; **4.** **da**, dé, dad, den; **5.** manda, mande, **mandad**, manden; **6.** envía, envíe, enviad, **envíen**; **7.** comprende, **comprenda**, comprended, comprendan; **8.** decide, decida, **decidid**, decidan; **9.** **contesta**, conteste, contestad, contesten; **10.** baila, baile, bailad, **bailen**; **11.** empieza, **empiece**, empezad, empiecen; **12.** comienza, comience, comenzad, **comiencen**; **13.** sal, salga, **salid**, salgan; **14.** **ven**, venga, venid, vengan; **15.** **sigue**, siga, seguid, sigan; **16.** vuelve, vuelva, **volved**, vuelvan; **17.** di, diga, decid, **digan**; **18.** juega, **juegue**, jugad, jueguen; **19.** **piensa**, piense, pensad, piensen; **20.** pon, ponga, **poned**, pongan.

12.2. **1.** Di; **2.** Comprad; **3.** Comprenda; **4.** Pon; **5.** Cerrad; **6.** Entiendan; **7.** Sal, juega; **8.** Ten; **9.** Haz, ven; **10.** Sepan; **11.** Venga, disfrute; **12.** Construya; **13.** Piensen; **14.** Vístete; **15.** Dúchate; **16.** Levantaos; **17.** Empezad; **18.** Pídeme; **19.** Llámame; **20.** Salgan.

12.3. **1.** cómpraselas; **2.** báilenla; **3.** díganselo; **4.** pagádnosla; **5.** cómetela; **6.** bébasela; **7.** cógemela; **8.** devuélvamela; **9.** cambiádnoslo; **10.** escríbesela.

12.4. **1.** Dame un vaso de agua; **2.** Ponme esta película; **3.** Dígame dónde está Álvaro; **4.** Llama a Juan por mí; **5.** Vengan conmigo; **6.** Hagan el favor de marcharse / Márchense, por favor; **7.** Cierre la puerta; **8.** Pásame el pan, por favor; **9.** Ayúdame a subir esa caja; **10.** Acércame en coche a la estación.

12.5. **1.** No vengáis; **2.** No lo tengáis; **3.** No te la des; **4.** No salgas; **5.** No la pongáis; **6.** No penséis en ello; **7.** No lo hagas; **8.** No la traigan; **9.** No empieces; **10.** No contéis; **11.** No mintáis; **12.** No la pidan; **13.** No lo calcule; **14.** No lo sea; **15.** No vayas despacio; **16.** No me lo digas; **17.** No sepa; **18.** No la conozcáis; **19.** No juguéis; **20.** No vuelvan pronto.

12.6. **1.** No se lo compréis; **2.** No me lo lleves; **3.** No lo saques; **4.** No lo pongas; **5.** No me lo dejes; **6.** No salgáis; **7.** No lo hagan; **8.** No vaya; **9.** No lo coja; **10.** No me lo traiga.

12.7 **1.** No le hables; **2.** No lo saquéis; **3.** No se los traigan; **4.** No se lo lleves; **5.** No las suban; **6.** No lo contéis; **7.** No se la digan; **8.** No se las pida; **9.** No me lo expliquéis; **10.** No lo decidáis.

12.8. **1.** Correcta; **2.** Correcta; **3.** Cállate; **4.** No me diga; **5.** Correcta; **6.** Correcta; **7.** No me lo llevéis; **8.** sal; **9.** Ponte; **10.** Correcta.

12.9.   **1.** que saques el aguijón y pongas hielo sobre la herida; **2.** que no lo muevas; **3.** que pongas la herida bajo el agua fría y no te pongas aceite ni pasta de dientes; **4.** que vayas al médico; **5.** que no lo toques hasta cortar la corriente eléctrica; **6.** que no lo golpees; **7.** que no tires agua si no sabes el origen del fuego; **8.** que lo saques al aire libre y no le des nada para beber; **9.** que comprimas la herida durante cinco minutos aproximadamente.

12.10.   **1.** se calle, se baje, me enseñe; **2.** se ponga, se meta, juegue, vea; **3.** hagas; **4.** me hables; **5.** vayas; **6.** coma, consuma; **7.** la acompañe; **8.** devuelvan, cumplan; **9.** te quedes, me ayudes.

GLOSARIO

A la vez: al mismo tiempo, simultáneamente.

Abonado/a, el/la: persona que paga para ver un canal codificado.

Abrir de par en par: abrir una puerta, ventana, etc. completamente, totalmente, al máximo.

Acoger: recibir, alojar a alguien.

Acomplejado/a: persona afectada por un complejo.

Actualmente: en la actualidad, ahora, en estos momentos.

Acudir: ir.

Adolescencia, la: etapa de la vida entre la infancia y la madurez.

Aduana, la: lugar donde se controlan los objetos que se llevan a otro país.

Afianzado/a: consolidado, asegurado, estable.

Afincado/a: instalado/a, alguien que vive en algún lugar de manera permanente.

Agarrar: coger.

Agitar: mover violentamente.

Agobiado/a: cansado, angustiado.

Agotarse: acabarse un producto.

Agradecer: dar las gracias.

Ajedrez, el: juego de origen hindú donde la pieza más importante es el rey.

Albergue, el: similar al hotel pero más barato.

Alcanzar: llegar, conseguir.

Alinearse: ponerse en fila, formar una línea.

Almorzar: comida que se realiza entre el desayuno y la cena.

Alojarse: vivir en un hotel, casa, etc., cuando estamos fuera de nuestra residencia.

Altar, el: parte principal de una iglesia donde el sacerdote realiza la misa.

Alternativo/a: opción entre dos o más cosas.

Ama de casa, el: mujer que se dedica a las tareas del hogar.

Amenazar: anunciar a alguien posibles consecuencias negativas si no colabora.

Anciano/a, el/la: persona muy mayor.

¡Anda, anda!: expresión de incredulidad cuando creemos que no es cierto lo que nos dicen.

Andén, el: lugar donde los pasajeros esperan la llegada del tren o del metro.

Anhelos, los: deseos.

Animador/a cultural, el/la: persona que organiza actos culturales y mantiene la atención y el interés.

Anualmente: una vez cada año.

Anunciar: comunicar una noticia.

Anuncio de publicidad, el: espacio donde se publicitan productos que se quieren vender.

Apagar: eliminar la luz, ya sea artificial o natural.

Aparcamiento, el: lugar donde se dejan los vehículos mientras no son utilizados.

Apariencia, la: aspecto.

Apático/a: persona que se muestra indiferente ante lo que pasa.

Apenas: casi.

Apoyo, el: ayuda.

Aprisa: deprisa, rápidamente, velozmente.

Aprobar: estar de acuerdo con algo, certificar, ratificar, afirmar.

Aprovechar: sacar el máximo rendimiento a una cosa.

Apuesta, la: acción y efecto de jugarse dinero u otro tipo de bien en cualquier tipo de juego (ruleta, carreras de caballos, póquer...).

Apuntarse: inscribirse en alguna actividad (cursos, excursiones, viajes....).

Apuntes, los: notas que se toman en clase como base de estudio.

Aquí estamos: respuesta informal a la pregunta "¿Cómo estás?" para expresar que estamos como siempre.

Armadura, la: prenda utilizada en la Edad Media y la Edad Moderna como protección en las batallas.

Arreglar: reparar. Hacer que algo que no funcionaba vuelva a funcionar, normalmente algo mecánico.

Arrojarse: lanzarse violentamente desde un lugar alto.

Arrollar: atropellar un vehículo (coche, tren, moto...) a una persona.

Asentir: decir que sí.

Asesino/a, el/la: persona que mata a otra persona.

Así mismo: nexo discursivo que utilizamos cuando añadimos una idea relacionada por similitud con la anterior.

Así, así: respuesta informal a la pregunta "¿Cómo estás?" para expresar que no estamos muy bien.

Asiento, el: silla en los medios de transporte.

Asistir: ir a un lugar.

Asombrarse: sorprenderse.

Atasco, el: tráfico intenso.

Atentado, el: acción violenta contra un lugar o una persona.

Atraco, el: robo con arma (cuchillo, pistola...).

Audiencia, la: conjunto de personas que atiende un programa de radio o TV en un momento dado.

Aumento, el: subida, incremento.

Auriculares, los: objeto que se pone en las orejas para escuchar música.

AVE, el: tren español de alta velocidad.

Avisar: informar, notificar.

Balneario, el: edificio con baños termales al que se va para descansar y relajarse.

Baraja, la: el conjunto de cartas para jugar.

Batalla, la: combate de un ejército con otro.

Belleza, la: hermosura, preciosidad.

Billete, el: papel que hay que comprar para viajar en tren, avión, etc.

Boda, la: ceremonia en la que dos personas se casan.

Boina, la: sombrero sin visera, propio de los campesinos.

Botellón, el: práctica que realizan los jóvenes que consiste en comprar bebidas alcohólicas para beberlas en las calles o las plazas.

Brasas, las: lo que queda caliente tras apagarse un fuego.

Brillar: relucir.

Brocha, la: utensilio similar al pincel pero más grueso y ancho, que se utiliza para pintar.

Broncearse: adquirir un color oscuro de piel como consecuencia de los efectos solares.

Bruja, la: mujer que, según dicen, tiene un pacto con el diablo y por eso tiene poderes extraordinarios, como volar sobre una escoba.

Brújula, la: instrumento que indica dónde está el norte.

Cabo, el: en la costa, parte de tierra que se mete en el mar.

Cacharros, los: generalmente se refiere a todo lo perteneciente a la vajilla (platos, ollas, cubiertos, vasos, etc.) pero puede hacer referencia a cualquier utensilio.

Caída, la: efecto de caer.

Calma, la: tranquilidad.

Cambiar de aires: (figuradamente) cambiar de vida, trasladarse.

Camisón, el: prenda, similar a un vestido, que utilizan las mujeres para dormir.

Campeonato, el: competición.

Campesino/a, el/la: persona que trabaja en el campo.

Canal, el: banda de frecuencia donde se emite una estación de televisión o radio.

Candidato/a, el/la: persona propuesta para un lugar de trabajo o para un premio.

Candil, el: lámpara de aceite.

Caniche, el/la: raza de perro.

Cantautor/a, el/la: cantante que compone sus propios temas.

Canto, el: acción y efecto de cantar.

Caña, la: aparejo de pesca con el que se sacan los peces uno a uno.

Captar la atención: conseguir que alguien nos escuche o mire.

Cargador, el: aparato que se conecta a un enchufe para que un utensilio eléctrico se llene de energía y pueda volver a funcionar.

Cargar la batería: dar energía eléctrica a un aparato que ya no la tiene (móviles, cámaras de vídeo etc.).

Carnaval, el: fiesta tradicional de disfraces que se celebra en febrero.

Carrera, la: estudios universitarios.

Carro, el: medio de transporte tirado por caballos.

Carroza, la: coche antiguo lujoso tirado por caballos.

Castigo, el: pena que se impone al que ha cometido una falta.

Castillo, el: edificación antigua donde residían reyes y nobles, sobre todo en la Edad Media.

Categoría, la: nivel.

Celo, el: cuidado, atención.

Cerro, el: monte pequeño.

Cifrar: calcular.

Clavar: introducir un objeto en un cuerpo a golpes.

Clérigo, el: cura, párroco.

Coche-cama, el: vagón de tren para dormir.

Colgar: suspender un objeto en algún lugar.

Combustible, el: materia con la que funciona un vehículo (gasolina, gasoil...).

Comensales, los: personas invitadas a comer en alguna celebración.

Cómoda, la: mueble de cajones que sirve para guardar objetos.

Comparecencia, la: asistencia, ir a un lugar para algún propósito específico.

Concluir: terminar, acabar.

Concretar: hacer concreto, precisar.

Concurso, el: prueba donde varios candidatos compiten para conseguir un premio.

Confesión, la: declaración que alguien hace de lo que sabe.

Conjetura, la: hipótesis, suposición.

Consejo, el: recomendación, sugerencia.

Consentimiento, el: permiso, aceptación.

Considerar: pensar, reflexionar sobre algo.

Cónsul, el: cargo diplomático en un país extranjero.

Contenerse: controlar un sentimiento.

Convencido/a: alguien que cree en algo firmemente.

Convenir: ponerse de acuerdo en alguna cuestión.

Convivencia, la: acción y efecto de convivir, cuando dos o más personas viven juntas.

Copeo, el: salir de bar en bar a tomar vasos de vino o de otra bebida alcohólica.

Cotilleo, el: rumor, comentario sobre la vida privada de otras personas.

Crepúsculo, el: atardecer, momento en el que se pone el sol.

Crimen, el: acción ilegal.

Cucharada, la: la cantidad que puede contener una cuchara.

Cumbre, la: cima, el punto más alto de algo.

Cumplido, el: decir algo bonito a alguien.

Cumplir (años): tener un año más de vida.

Charlar: conversar con el único objetivo de pasar el tiempo.

Chollo, el: cosa que se consigue por poco dinero o con poco trabajo.

Chorizo, el: alimento embutido proveniente del cerdo.

Chupete: objeto con una parte de goma que se da a los bebés para que chupen.

Darse cuenta de algo: comprender.

Dársena, la: en la estación, lugar donde se espera al autobús.

¡De eso nada!: negar rotundamente algo que se ha dicho o se ha pedido.

De maravilla: muy bien.

De pena: muy mal, desastroso.

Debate, el: discusión que se realiza acerca de un tema.

Debutar: presentarse por primera vez ante el público un cantante, actor, etc.

Decena, la: grupo de diez cosas.

Declarar: afirmar, comunicar, informar.

Dejar: 1. permitir; 2. abandonar; 3. prestar.

Dejar en paz: no molestar.

Denuncia, la: acción legal que se realiza en la comisaría tras ser víctima de un delito.

Deplorable: lamentable.

Deporte de riesgo, el: deporte peligroso.

Depósito, el: 1. lugar donde se encuentra la gasolina en un vehículo; 2. lugar donde están los muertos antes de ser llevados al cementerio.

Derrapar: patinar un vehículo desviándose de la dirección que llevaba. Puede ser a causa de la lluvia, de aceite en la carretera, etc.

Descapotable, el: coche que puede retirar la parte superior del mismo.

Desesperado/a: persona que siente cólera, impotencia o enojo.

Desgraciado/a: aquel que no es feliz.

Deslumbrar: brillar, destacar.

Despectivamente: con menosprecio, de manera negativa.

Despedida, la: acción de decir adiós a alguien.

Desplazarse: moverse, cambiar de lugar.

Destituido/a: ser relevado de un cargo que se ocupa.

Detener: arrestar, llevar a alguien a comisaría.

Diariamente: cada día.

Difunto/a, el/la: muerto, persona fallecida.

Diplomatura, la: título universitario que se obtiene al acabar una carrera de tres años.

Disciplina, la: educación estricta, dura. Aplicación de normas de control en el comportamiento.

Discípulo/a, el/la: seguidor de algún maestro espiritual o artístico.

Disfrazarse: vestirse con ropa de otra época, de personajes conocidos, etc.

Documental, el: programa que cuenta cómo viven los animales, cómo es una cultura determinada, etc.

Doméstico/a: de casa.

Don de gentes, el: facilidad para relacionarse con las personas.

Durar: el tiempo que se invierte en un proceso o acción.

Echar de menos: notar la falta de una persona o cosa.

Eficaz: efectivo, que tiene efecto. Generalmente se refiere a cosas.

Ejercer (de): hacer de, trabajar como.

Embarcar: subir a un avión o a un barco.

Empapado/a: humedecido, mojado, lleno de algún elemento líquido.

Emplear: utilizar, usar.

En torno a: alrededor de.

Encabezar: ser el primero en algún proyecto, capitanear, preceder.

Enchufado/a: conectado.

Enchufar: conectar.

Enfadarse: estar enojado, irritado.

Engreído/a: persona que piensa de sí misma que es magnífica.

Enlace, el: unión.

Enredadera, la: tipo de planta trepadora.

Enriquecimiento, el: cada vez más rico.

Ensanchar: hacer más ancho.

Enseguida: inmediatamente.

Entierro, el: acción de enterrar, generalmente en un cementerio, a una persona que ha muerto.

Entonar: seguir el tono de una melodía con la voz, cantar.

Escayolado/a: persona que lleva una escayola porque tiene un hueso roto.

Esclavo/a, el/la: persona que no tiene libertad y está subordinada a otra.

Escoba, la: instrumento que sirve para barrer.

Espiar: observar disimuladamente lo que se dice o hace; intentar conseguir información secreta.

Estado civil, el: condición de cada persona en relación a sus derechos y deberes civiles. Puede ser soltero, casado, divorciado o viudo.

Estanque, el: lago pequeño.

Estar atrapado: no poder escapar a algo. En sentido figurado significa ser adicto a algo.

Estar callado/a: no hablar.

Estar en la gloria: estar muy bien, en una buena situación.

Estar fuera de onda: no conocer las últimas novedades.

Estar harto/a: 1. tener suficiente de algo; 2. estar cansado de algo o alguien.

Estar liado: tener demasiado trabajo.

Estar pobre como las ratas: no tener nada de dinero.

Estornudar: expulsar con violencia e involuntariamente el aire por la boca, haciendo ruido.

Estribar: estar fundamentado en algo.

Estropeado/a: adjetivo para decir que algo no funciona.

Estupor, el: sorpresa, asombro.

Evidente: obvio.

Expuesto/a (estar): algo que está a la vista de todos, generalmente se utiliza para hablar de las obras que se exhiben en museos, galerías, etc.

Facturación, la: en el aeropuerto, comprobación del billete y de las maletas para ser enviadas a su destino.

Faenar: trabajar pescando dentro de un barco.

Fantasma, el: espíritu, ser sobrenatural.

Fatal: muy mal.

Fauna, la: animales de un lugar.

Feligrés, el/feligresa, la: persona que pertenece a determinada parroquia.

Fenomenal: muy bien, maravillosamente.

Feroz: fiero, cruel, salvaje, agresivo.

Fervor: entusiasmo.

Fila, la: línea, conjunto de personas o cosas que se agrupan una detrás de otra.

Finanzas, las: economía, capital, hacienda.

Flora, la: plantas y vegetación de un lugar.

Flujo, el: caudal, corriente.

Frotar: restregar. Pasar muchas veces una cosa sobre otra con más o menos fuerza.

Función, la: espectáculo (obra de teatro, ballet, cine...).

Gaditano/a, el/la: persona de Cádiz, provincia al sur de España.

Gallina, la: ave de corral que pone huevos.

Garganta, la: cuello (referido al interior del mismo), faringe.

Garito, el: forma coloquial de decir bar.

Gastar: derrochar.

Gozo: placer.

Granos, los: erupción en la piel.

Guay: forma coloquial y juvenil para decir que algo es estupendo.

Guion, el: texto de una película, programa de radio o televisión.

¡Hasta la vista!: saludo de despedida que indica que nos vamos a volver a ver en el futuro aunque no se precisa el momento.

Hasta las tantas: hasta muy tarde.

Hechicero/a: mago.

Herencia, la: el dinero que corresponde, generalmente a los familiares de alguien que muere.

Hidalgo, el: título de nobleza, aristócrata.

Hogareño/a: casero, familiar, persona a la que le gusta estar en casa.

Hospitalario/a: persona que recibe y acoge muy bien a la gente.

Hostelería, la: conjunto de servicios que proporcionan alimento y hospedaje (hotel, restaurante, etc.).

Hueso, el: cada una de las piezas duras que forman el esqueleto de los vertebrados.

Huir: escapar de alguien o de algún lugar.

Humildad, la: cualidad de humilde, es decir, de alguien modesto, que no es engreído.

Hundimiento, el: acción de meter algo debajo de una superficie.

Hundir: meter algo debajo de una superficie, como por ejemplo, debajo de tierra o de agua.

Impuestos, los: dinero que el ciudadano debe dar al Estado cada año.

Incendio, el: fuego que se extiende sin control.

Incertidumbre, la: duda.

Informativo, el: programa donde nos informan de las últimas noticias.

Ingrato/a: persona que no sabe o no quiere agradecer los favores recibidos.

Ingresar: entrar en un lugar.

Ingresos, los: dinero que se obtiene generalmente trabajando.

Inhibidor/a, el/la: objeto o persona que prohíbe o impide hacer algo.

Iniciales, las: las primeras letras del nombre y apellidos de una persona.

Inmortalizar: hacer algo eterno en la memoria de los hombres.

Insecto, el: clase de animales en la que se incluye la hormiga, la mosca, etc.

Intuir: presentir.

Invencible: que no puede ser vencido (ganado, superado).

Invento, el: cualquier objeto creado por el hombre que no existía antes.

Investidura, la: dar a alguien un cargo importante, un puesto de responsabilidad.

Jacinto: tipo de flor en racimo y muy olorosa.

Jornalero/a, el/la: persona que cobra por cada día de trabajo.

Juerga, la: fiesta.

Juzgados, los: lugar público donde se celebran bodas, juicios y otras acciones legales.

Labores, las: trabajos.

Ladrón, el/ladrona, la: persona que roba.

Laureado/a: premiado con honores.

Lema, el: frase.

Letrero, el: rótulo, epígrafe, leyenda, inscripción.

Levantamiento, el: rebelión.

Licenciarse: terminar los estudios universitarios.

Ligar: flirtear con alguien.

Litografiado/a: grabado, estampado.

¡Lo dicho!: forma que se utiliza para advertir a nuestro interlocutor que queremos terminar la conversación y que vamos a despedirnos (igual a "¡Venga!").

Lotería, la: juego de azar en el que se compra un billete numerado.

Lucir: llevar un atuendo específico de ropa o complementos (collares, pulseras, pañuelos...) sobre todo en eventos importantes.

Luna de miel, la: viaje que hacen los novios después de casarse.

Llamas: fuego.

Llorar: acto de derramar lágrimas como consecuencia de una emoción de alegría o tristeza.

Madrugar: levantarse muy temprano.

Majísimo/a: superlativo de majo.

Majo/a: se aplica a la persona que por su aspecto, comportamiento o simpatía se hace agradable a los demás.

Mancha, la: suciedad en un cuerpo (p.ej.: una mancha de aceite sobre un pantalón).

Manta: ropa de abrigo para la cama.

Maquinista, el/la: conductor de tren.

Marrano/a, el/la: cerdo.

Mascota, la: animal o cosa que trae buena suerte o que da compañía.

Masificado/a: lugar repleto de gente.

Matinal: que se realiza por la mañana.

Mecánico/a, el/la: persona que por profesión se dedica a la mecánica.

Mediano/a: 1. en el medio; 2. de mala calidad.

Medio de comunicación, el: órgano, de titularidad pública o privada, que informa y entretiene a las personas.

Mendigo/a, el/la: persona que vive en la calle de la caridad de los demás.

Mentir: engañar, no decir la verdad.

Mezclarse: combinación de varios elementos distintos.

Minicadena, la: aparato de música de tamaño reducido.

Misa, la: ceremonia religiosa cristiana.

Modesto/a: persona que no es engreída o vanidosa.

Morder: clavar los dientes en una cosa.

Mucho gusto: forma que se utiliza cuando nos presentan a una persona para expresar que estamos encantados de conocerla.

Muela, la: cada uno de los dientes posteriores que sirven para triturar los alimentos.

Naipe, el: cada una de las cartas de una baraja española.

Negocio, el: acción comercial.

¿No me digas?: expresión de sorpresa ante algo de lo que se nos informa.

No tener un duro: expresión para decir que no se tiene dinero.

Nochevieja, la: última noche del año, el 31 de diciembre.

O sea: es decir.

Obtener: conseguir.

Ocio, el: tiempo libre de una persona.

Ofrenda, la: regalo, generalmente a un Dios.

Optar: elegir.

Oración: acción y efecto de orar, rezar. Especie de poema para pedir o agradecer a Dios algo.

Orca, la: tipo de ballena.

Oyente, el/la: persona que escucha la radio.

Pagar a escote: pagar a medias, a partes iguales.

Palmadita, la: golpe suave en la espalda que a veces utilizamos para saludar o despedirnos de alguien.

Palo, el: los cuatro colores de una baraja española.

Panel, el: objeto informativo de horarios y llegadas/salidas que está en un aeropuerto o estación.

Parado/a: algo o alguien sin movimiento o sin trabajo.

Parchís, el: juego de mesa con fichas de colores y un dado cuyo objetivo es llegar a "casa".

Pareja, la: dos personas.

Párroco, el: sacerdote, persona dedicada a la religión que da la misa.

Partida, la: juego de mesa, generalmente de cartas pero también puede ser de ajedrez, parchís, etc.

Pasar una pensión: tras un divorcio, dar un dinero mensual a la ex-mujer.

Pasarlo bomba, genial, de maravilla, etc.: estar muy bien en un momento determinado.

Payaso/a, el/la: personaje que hace reír, artista de circo.

Peatón, el/peatona, la: transeúnte, viandante, caminante que se traslada a pie.

Peatonal, la: paseo por donde pueden ir las personas caminando, pero no los vehículos.

Pegar: golpear.

Pelas, las: forma coloquial de pesetas (moneda anterior al euro en España).

Peli, la: coloquialmente, película.

Película, la: filmación que podemos ver en el cine.

Peluca, la: pelo falso o postizo.

Peludo/a: con mucho pelo.

Perplejo/a: muy sorprendido, asombrado.

Pertenecer: ser algo de alguien.

Pesadísimo/a: superlativo de pesado.

Pesado/a: cosa que pesa mucho o persona que es molesta.

Pinchito, el: porción de comida que se toma como aperitivo y que a veces se atraviesa (se pincha) con un palillo.

Pintor de cámara, el: pintor de una familia real.

Pista, la: lugar donde despegan y aterrizan los aviones.

Podar: cortar las ramas de los árboles en otoño; así en primavera crecen con más fuerza.

Poner bote: forma de pago en la que todo el mundo pone una cantidad igual de dinero.

Por señas: comunicarse mediante señales, mímica.

Por sorpresa: sin esperarlo.

Portarse (bien/mal): actuar (bien/mal).

Portavoz, el/la: persona encargada de transmitir públicamente las decisiones de todo un grupo.

Portería, la: conserjería.

Precario/a: en malas condiciones.

Preceder: ir delante en tiempo, orden o lugar.

Prepotencia, la: calidad de abusar del poder o de aparentar superioridad.

Prever: ver con anticipación algo que va a suceder en el futuro.

Programación, la: conjunto de programas que retransmiten por televisión o radio.

Prolongarse: extenderse, alargarse en el tiempo o en el espacio.

¡Pues eso!: se utiliza de la misma forma que ¡Lo dicho!

Puñetazo, el: golpe que se da con la mano cerrada, es decir, con el puño.

¡Qué rollo!: ¡qué aburrido!

¡Que te vaya bien!: forma de despedida que utilizamos cuando no sabemos el momento en que vamos a ver de nuevo a esa persona y le deseamos lo mejor.

Quedarse a la zaga: estar atrás, no alcanzar a otro en un objetivo.

¡Quita, quita!: negar la veracidad de algo que se nos dice o quitarle importancia a un cumplido.

Quitar el polvo: limpiar la suciedad acumulada en los muebles.

Raptar: secuestrar a alguien.

Rascacielos, el: edificio muy alto que solo existe en las grandes ciudades, como Nueva York.

Rato, el: espacio de tiempo corto.

Rebajas, las: periodo de tiempo en el que los precios son más bajos en las tiendas.

Recaudador/a de impuestos: persona que cobra las tasas del gobierno.

Recién: hace muy poco tiempo.

Recital, el: actuación en directo, generalmente musical o poética.

Recreo: periodo de tiempo en las escuelas que se dedica al descanso de los alumnos.

Rechazo, el: no aceptación de algo.

Reforzar: dar mayor fuerza a algo.

Refugio, el: resguardo, abrigo, lugar donde dormir, generalmente en la montaña.

Regular (estar): ni bien ni mal.

Rematar: poner fin a una cosa.

Remedio, el: solución.

Remite, el: datos de aquel que envía una carta o un paquete.

Remunerar: pagar un dinero a alguien por algún trabajo.

Reposo: descanso.

Reserva, la: pedir por teléfono, Internet, etc., un billete, una mesa en un restaurante...

Restablecer: volver a una situación anterior.

Resucitar: volver a la vida después de muerto.

Retirarse: irse de un lugar, apartarse.

Reto, el: desafío.

Retrasar: llegar tarde a alguna parte

Reverencia, la: gesto de saludo ante alguien de mayor estatus social: aristócrata, rey...

Revisor/a, el/la: persona que confirma si es válido el billete de metro, tren o autobús.

Rezar: 1. orar, pedir o agradecer algo a Dios; 2. estar escrito.

Riqueza, la: conjunto de los bienes materiales o espirituales de alguien o algo.

Robo, el: acción criminal en la que una o más personas se llevan las propiedades de otro.

Rogar: pedir encarecidamente.

Románico, el: estilo artístico medieval (siglos VIII-XI).

Roncar: hacer ruido cuando se duerme como consecuencia de no respirar bien.

Ruidoso/a: que hace ruido, no silencioso.

Ruta, la: trayecto, recorrido, itinerario que se hace desde un lugar fijado a otro.

Salario, el: sueldo, dinero obtenido por un trabajo.

Salir bien/mal: funcionar bien/mal algo.

Salir de marcha: ir de fiesta.

Saqueador/a, el/la: ladrón sin escrúpulos que roba o destruye todo aquello que encuentra a su paso.

Sede, la: edificio principal de una empresa o una institución.

Sencillo/a: fácil.

Senderismo, el: deporte consistente en pasear por caminos de montaña.

Ser natural de: haber nacido en ese lugar.

Ser un rollo: ser muy aburrido.

Servicio doméstico, el: personas que hacen las tareas de la casa.

Sin embargo: nexo discursivo sinónimo de *no obstante*.

Siniestro total, el: tras un accidente, estado lamentable e irrecuperable en el que queda un vehículo.

Sobresalto, el: susto, impresión fuerte.

Soldado, el/la: militar sin graduación.

Solicitud, la: trámite con el que se solicita algo (por ejemplo: ingresar en una universidad).

Sonámbulo/a: persona que se levanta mientras duerme.

Sordo/a: persona que no oye.

Subterráneo/a: bajo tierra.

Sudar: expulsar agua a través de los poros del cuerpo cuando hace calor o se realiza algún esfuerzo.

Suegro/a: padre/madre del marido o la mujer de alguien.

Surtidor, el: fuente.

Susto, el: impresión provocada por el miedo.

Taller, el: lugar en el que trabajan obreros (p.ej. arreglando coches), artistas, etc.

Tapear: salir a comer tapas.

Taquilla, la: lugar donde se compran los billetes (tren, metro, etc.) o entradas (cine, museos, etc.).

Tarántula, la: tipo de araña venenosa.

Tareas del hogar, las: trabajos de casa (fregar, planchar, barrer, etc.).

Tarifa, la: coste de un servicio en una franja horaria determinada.

Telebasura, la: nombre utilizado para referirse a ciertos programas de televisión de muy poca calidad.

Telenovela, la: serie que se emite por capítulos por televisión.

Telespectador/a, el/la: persona que ve la televisión.

Temor, el: miedo.

Tener buena/mala cara: tener buen/mal aspecto.

Tener cuidado (con): estar atento a algo o alguien, poner atención en algo o alguien.

Tener en cuenta: pensar en algo o alguien antes de realizar una acción.

Teniente, el/la: cargo del ejército que está por debajo del capitán.

Tienda de campaña, la: construcción de barras y cubierta con una tela que se utiliza para dormir en el campo o en la montaña.

Tintero, el: objeto para poner la tinta con la que se escribía antiguamente.

Tirando: respuesta informal a la pregunta "¿Cómo estás?" para expresar que estamos bien, normal.

Tirarse: (ver arrojarse) caer voluntariamente.

Tolerante: persona que respeta las opiniones y prácticas de los demás.

Torcido/a: que no está recto.

Tos, la: expectoración pulmonar, con frecuencia se desarrolla en procesos de gripe, catarro, etc.

Tránsito, el: tráfico.

Tratante de esclavos, el/la: persona que comercia con esclavos.

Treintañero/a: persona que tiene alrededor de treinta años.

Tristeza, la: cualidad de triste.

Trono, el: forma figurada de referirse a la ocupación de rey.

Trucha, la: pez de río.

Tubo de escape, el: lugar por donde sale el humo de los vehículos.

Tuerto/a: persona que ha perdido un ojo o no ve por él.

Túnica, la: vestido característico de los antiguos romanos.

Tutear: llamar a alguien de "tú" y no de "usted", tratamiento informal.

Ubicar: localizar, situar en un lugar determinado.

Valioso/a: de gran valor.

¡Vaya por Dios!: expresión de pena ante una desgracia.

Velar: pasar la noche despierto.

Veneno, el: sustancia que al tomarla provoca la muerte.

¡Venga!: forma que se utiliza para advertir a nuestro interlocutor de que queremos terminar la conversación y que vamos a despedirnos (igual a "¡Lo dicho!").

Ventaja, la: beneficio, aspecto positivo de algo.

Vía, la: camino por donde va el tren.

Víctima, la: persona que sufre algún acto criminal.

"Viejo", el: padre (en Argentina, Chile y otros países hispanoamericanos).

Visión, la: enfoque, punto de vista, perspectiva.